НОНКОНФОРМИЗМ ОСТАЕТСЯ

САНКТ-ПЕТЕРБУРГ
САН-ФРАНЦИСКО

АЛЕК РАПОПОРТ

ББК 85.1
 Р 23

Рапопорт А. В.
Нонконформизм остается. – СПб.: Издательство ДЕАН, 2003. – 240 с.

ISBN 5-93630-215-6

ОГЛАВЛЕНИЕ

1

Алек Рапопорт, 1960-е годы
Портрет работы Н. П. Акимова
Местонахождение неизвестно

АННОТАЦИЯ

СОКРОВЕННЫЙ СТРАННИК

«Возьмите иго Мое на себя и научитесь от Меня, ибо Я кроток и смирен сердцем, и найдете покой душам вашим; Ибо иго Мое благо и бремя Мое легко» (От Матфея 11: 29-30)

Алек Рапопорт— счастливый художник, который прошел по избранному им пути, оставаясь всегда верным себе. Обладать талантом — одиноко. Являть талант — в иные исторические эпохи — опасно. Но настоящий художественный талант у близких духом вызывает любовь и восхищение, ибо явленный талант придает бытию сокровенный смысл. Долгие годы жития в Америке не сделали его «выходцем из России». Из России не выходят, ее уносят с собой. И потому этой книгой Алек Рапопорт возвращается в Россию. Как ее национальное достояние. Его трехмерная точка исхода в творчество — это гармоническое сочетание языка зрения, языка слуха и языка деяния. Его бытийные поступки не противоречили ни живописному, ни философскому акту творения. Он так и относился к жизни — как к акту творения. Трудно судить, каковы были благо и бремя художника. Об этом знал он сам и скупо говорит в «Размышлениях». Об этом догадывались его близкие и друзья. Чтобы понять Алека Рапопорта, нужно пройти те пространства культуры, какие прошел он. Из потаенных глубин страстного пути мы видим мощную выразительность его полотен. Лишенный мелочной завистливости и низкой мстительности, он принял свою долю судьбы со смирением и нравственным достоинством, отличавшими во все времена гениального художника. Его мера человеческой отзывчивости, сердечной и душевной, неизменно вызывали ответный порыв у тех, кто его окружал, кто был его другом и зрителем, участником и сопричастником его жизни, кто помогал собирать эту книгу. Низкий поклон им.

Игорь Адамацкий

Санкт-Петербург

2002 год

2

ПРЕДИСЛОВИЕ

4 февраля 1997 г. в своей мастерской в Сан-Франциско скоропостижно скончался Александр Владимирович Рапопорт, известный в художественных кругах России и Америки как художник-нонконформист АЛЕК РАПОПОРТ. Разбирая его архив, я обнаружила разрозненные материалы, не вошедшие в то небольшое количество статей, которые были опубликованы при жизни художника. Эти материалы оказалось возможным объединить в статьи, которые могут служить выразительным «документом времени». Лучше всего цель публикации этого сборника объясняют слова самого А. Рапопорта, взятые мною из его статей: «... многие художники и писатели справедливо считали, что художнику не следует много писать об искусстве. Я же пишу, т.к. думаю, что на склоне лет что-то узнал, могу со стороны сравнить искусство России и Запада, Европы и США, и мои записки могут быть полезны тем, у кого нет такого опыта». Кроме того, мне представляется, что этот сборник послужит лучшему пониманию художника». «Будучи окружен любовью и восхищением тех, кто его знал, для многих он оставался загадкой, анахронизмом, непостижимой тайной», — так заметил Майкл Дунев[1] в своем предисловии к монографии «Алек Рапопорт. Путь художника».[2] Другой американский критик Михаил Меззатеста написал: «Алек Рапопорт был художником и философом. Невозможно полностью оценить сложность и богатство его мышления без знакомства с его письменным наследием»[3]. «Художник, который отказался от компромисса» — симптоматично назвала свою статью в упомянутой выше монографии Алла Розенфельд[4]. Название сборника «Нонконформизм остается» отражает суть природы, творчества и размышлений Алека Рапопорта — уникального художника второй половины XX ве-ка — века ушедшего и ставшего историей на наших глазах.

Ирина Рапопорт

Сан-Франциско

2001 год

---

[1] Художественный критик и владелец «Michael Dunev Gallery» в Сан-Франциско (ныне галереи «Michael Dunev Art Projects», Girona, Espana), представлявший в Сан-Франциско искусство Алека Рапопорта.
[2] «ALEK RAPOPORT. Journey of an artist». Monograph, San Francisco, 1998, p.8.
[3] Director, The Duke University Museum of Art, Durham, NC. Ib., p.11.
[4] Куратор отдела русского и советского искусства, J.V.Zimmerli Art Museum, Rutgers, New Brunswick, NJ. Ib., p.18.

3

I. ВОСПОМИНАНИЯ

«БАРАЧНАЯ ШКОЛА» ИЗ ЭРМИТАЖА

Памяти Саши Арефьева

О художниках большей частью пишут поэты и другие люди книги (низкий им поклон за то, что пишут), создавая и поддерживая искаженный образ художника-иллюстратора, художника — социального выразителя и т.д. И точно, масскультура может воспринимать художника через анекдот, путем неадекватного перевода изобразительного языка на литературный. С одной стороны, это как будто позволяет приблизить и «приобщить» потребителя, но с другой стороны, это уводит потребителя-зрителя в дебри, далекие от собственно-изобразительного искусства, наносит удар и по самому искусству. Лишь художники могут писать о художниках, чтобы быть понятыми художниками же, хотя слово всегда считалось вредным для изобразительного искусства. Делакруа говорил, что если художник оставляет свои инструменты — кисти и краски — в пользу пера, это конец искусства. Гюго предсказывал, что слово убьет архитектуру. Лев Толстой писал, что если бы художник должен был описывать свою картину словами, он и писал бы словами, а не кистями и красками.

Не «бараки» породили арефьевскую группу — именно так надо называть эту общность художников 50 — 70-х годов, а уникальное сочетание черноземно-барачной России и царско-дворцового Петербурга. О черноземе я скажу позже, анализируя творчество Шварца, а сейчас об Эрмитаже. Через этот музей в роскошном дворце Растрелли прошла вся европейско-русская художественная городская архитектоническая культура, а Петербург-Ленинград — квинтэссенция города, породила арефьевскую группу. Вся Россия — это бараки, а в самом Ленинграде их в принципе нет.

От Слова-с-большой-буквы произошли Парфенон и греко-римская изобразительная культура, но попробуйте дать словесное описание античного храма или статуи, от них слова отскочат, как чечевица. Архитектоничность, т.е. сочетание внутренних специально изобразительных напряжений, идущих от геометрии и гравитации земли и космоса, их статики и динамики, просветленный ум и зрение художника составляют суть этой культуры. Без специального изучения этого не понять. Это элитарное искусство, о котором принято говорить «великое» и «хрестоматийное», но почему? В средней школе этому не учат. Венера Милосская — это вам не компьютер. Рафаэль был близок античности и был велик, но он перетолковал, послабил пластику на потребу пап, он приспустил ее на землю к людям, используя специальный геометрический прием, называемый итальянская одноглазая перспектива, устанавливающий зависимость и взаимоподчиненность между картиной и зрителем. (В то время как помпейская фреска зрителя не зазывает: хочешь — любуйся, хочешь — проходи мимо.

Она, как ярмарка в летний день или как античный театр под голубым небом, не как принудительная тюремная закованность зрителя в сегодняшнем театре.) Это была первая уступка литературизации изобразительного искусства. Дальше больше. Прерафаэлиты взяли от античности лишь ее скорлупу, начинка же их сугубо литературна. Это они непосредственные родители концептуалистов, разделавшихся с пластикой окончательно в угоду словесному и другому успеху. Понадобился гений Сезанна, художника для художников, не для литераторов, чтобы возродить античность с другого конца.

Кратко об иконе, хотя это не имеет отношения к «барачникам», античным по своим истокам. Икона гениально литературна и гениально пластична: «В начале было Слово...» Икона берет сопереживающего, причастного, верующего (хотя бы в ее пластику) зрителя в свой Божественный континуум, возвышает его, вводит его в Божественный акт при помощи особой «обратной» перспективы, которую нам разъяснил Павел Флоренский. Если в перспективе Дюрера взяты в железные шоры и художник, и модель, и сама картина, то в иконе зритель-участник беспредельно путешествует «в» и «вовне», в особом иконном пространстве, где близкое бесконечно далеко, а далекое бесконечно близко.

Так вот арефьевская школа имела значение Сезанна в советском искусстве пятидесятых годов. Рисунок Арефьева прежде всего не карикатурен и литературен, а пластичен. Я же в пятидесятых разрывался от неизвестности, как увязать рисунок с живописью, когда к нам на курс в Таврическое поступил изгнанный за «формализм» из СХШ Володя Шагин. Свою первую в училище обнаженную модель он написал ярко-желтыми хромами, отчего преподаватели завопили, а ученики насторожились (еще только-только умер Сталин и не был даже открыт отдел импрессионистов Эрмитажа). В классе рисунка он также преподнес нечто жирно линейно очерченное. Вскоре я был очарован его голубоглазием и юношеским нахальством, равно как и его подругой Наташей Нейзель, самой красивой девочкой в Таврическом. Шагин отдал должное моим тогдашним экспериментам по контрапунктному рисунку (я много копировал Микеланджело), и... его вскоре исключили, а меня с содействия директора училища Ф.С. Пустовойтова забрили на три года в армию.

В 1956 г. Шагин и Наташа навестили меня в далеком провинциальном городке, где Шагин выступал в составе гастрольного оркестра. Шагин долго объяснял Наташе мой рисунок «Лезгинка», где я пытался сочетать векторы скорости и неподвижность, что-то вроде «Танец Там-Там» Балла. В 1957 г. меня демобилизовали, и я пришел к Шагину и Наташе домой где-то на ул. Маяковского в Ленинграде. У них уже родился сын Митя, и дом был завален рисунками и холстами Арефьева, Шварца, Васми и Шагина, поразившими меня невиданной встроенностью композиции в пространство холста у Шагина, небывалой вздымаемостью мостов над каналами Ленинграда, «тяжелозвонкостью» статуй и гранитов в работах Васми, небывалой архитектурной контрапунктностью персонажей Арефьева, небывалой плотностью, цветовой штукатурностью Шварца. Сам урбанизм донесся до меня от агора Древней Греции и форумов Рима до растреллиевско-рудневского Петербурга-Петрограда, арефьевского Ленинграда. И тогда мне открылась истина, приведшая к долгим годам изучения и копирования старых мастеров.

В 1959 г. я поступил в Театральный институт на Моховой. Блестяще сдав вступительные экзамены по искусству, со мной рядом на экзамене по литературе сидел Геннадий Устюгов. К концу экзамена он подвинул ко мне свое сочинение, в котором просил расставить знаки препинания: «Для твоего удобства, — сказал он, — я знаки вообще не расставлял». С трудом прорываясь сквозь нервную путаницу слов и фраз без точек, я дошел лишь до середины сочинения... Устюгов в вуз не попал. Может быть, на мне лежит часть вины за это, как и последующую жизнь с его тринадцатью (!) до 1974 года помещениями в психбольницу? Возможно. Мы все виноваты друг перед другом и перед самими собой хотя бы в том, что очень редко осознаем значение друг друга при жизни. Устюгов примыкал больше к «эрмитажникам», чем к «барачникам». Его гармоничные работы можно сравнить разве что с Тамайо. Но он был сам по себе лиричен, поэтичен, тонок. Что может дать словесное описание? Да он и не любил слова, природный живописец. Из мрака ленинградских вечеров выплывали на его холстах лица, окна с блеклым светом, свечи. В Ленинграде его работы хранятся у Наташи Жилиной (б. Шагиной). Кто еще знает или помнит его? Кто **захочет** знать его на Западе из тех, кто «представляет» русское искусство и довольствуется тремя-четырьмя именами?

Тогда же, в пятьдесят девятом, я встретил на улице бледного и больного Шагина. Он уже, кажется, познакомился тоже с дурдомом. Оттепель кончалась, 1974 год, ярко вспыхнув выставкой в ГАЗА, вызвал к жизни обоих — Устюгова (внешне остался все таким же худеньким и заикающимся мальчиком, а его живопись приобрела мерцание лунного камня) и Шагина, постаревшего, полысевшего, поседевшего. Вскоре после выставки Устюгов снова попадает в психбольницу, а Шагин с недоумением нормального человека не может понять на драчливых собраниях художников ТЭВ,* зачем нужны эти споры, эта борьба за руководство, когда можно, наконец, писать свои холсты и выставлять их. Его пейзажи к этому времени приобрели серую валёрность** европейского колоризма, зрелость мастера. Валёр — это сумерки раннего городского утра или вечера сразу после захода солнца. Валёр — это белые ночи. Валёр — это отсветы от стен каменных или кирпичных оштукатуренных домов. Валёры появляются там, где европейская архитектура окутана европейской атмосферой и освещена ев-

---

* Товарищество Экспериментальных Выставок — объединение художников нонконформистов в Ленинграде, 1974 — 77 годы.
** Valeur (фр.) — досл. «ценность». По определению Г.А. Глаголевой, искусствоведа из Таврического, это тот высочайший момент в творчестве мастеров европейского колоризма, когда исчезает красящий пигмент, превращаясь в красочный тон, красочную суть картины. На валёрах построена живопись Помпей, Эль Греко, Веласкеса, позднего Тициана, позднего Рембрандта, Моранди, Балтуса, Вейсберга.

ропейским солнцем. Бараки, т.е. деревянные дома, валёров не вызывают. Из эрмитажных зал Тициана и Рембрандта «барачники» выходили не куда-нибудь, а на Дворцовую набережную и шли, очарованные, в свои подвалы на Васильевский, а волшебные отсветы ленинградского, почти за горизонтом, солнца и неба от стен и окон Дворцовой завершали творческую работу в их сердцах... Спасибо Тебе, Господи, что и меня коснулись эти благостные отсветы!

В 1970 году я стал часто бывать у своего соседа по Васильевскому Юры Дышленко. Дышленко, во-первых, был превосходным, типично ленинградским, интеллектуальным художником, «вычислявшим» свои работы, а во-вторых, я надеялся получить его ходатайство для поступления в Горком художников-графиков, председатель которого Б. Комаров, говорили, был антисемитом. Дышленко, впрочем, тоже называл себя антисемитом, но объяснял это тем, что в равной мере был «антитатарином», «антиславянином» и т.д. Тем более было отрадно, что при своей желчности и нелюбви ко всем Дышленко постоянно и тепло говорил о некоем художнике «Арехе», чьи работы он ценил страшно высоко.

В один из моих приходов он показал мне среднего размера холст Ареха, горизонтального формата пейзаж ленинградского двора с осенними деревьями. Твердая, напряженная изнутри структура, аналитико-живописное построение двора и деревьев не оставляли сомнения: это была зрелая работа Арефьева, с творчеством которого я познакомился у Наташи и Володи Шагина еще в 1957 году. Поражала обобщенность и, как говорят советские искусствоведы, типичность ленинградского двора конца 60-х годов. Спустя немного времени я встретил и самого Сашу Арефьева в издательстве «Судостроение». Он был очень красив, коротко стрижен, начинал седеть, глаза его сверкали. Я выразил восхищение его работами, сказал, что они сильно повлияли на мою живопись, — кажется, ему было приятно.

В 1974 году я искал путей продажи своих работ зарубежным покупателям. Рынок и пути к нему держались в секрете. Лена Грачева, подруга моей жены Ариши, познакомила меня с Сашей Леоновым (в обмен на то, чтобы я познакомил его с евреями, готовящимися к эмиграции). Художник Леонов, еще более желчный, злой и больной*, чем Дышленко, неохотно назначил мне встречу в Москве, на квартире племянника Арманда Хаммера. Мы с Ирочкой приехали в Москву и уже по-настоящему познакомились с обоими — Леоновым и Арефьевым. Квартира была забита их работами, и иностранцы довольно бойко их покупали. Увидев мои работы, Леонов проникся ко мне некоторым уважением и сообщил мне о готовящейся выставке художников-нонконформистов в Ленинграде. По возвращении в Ленинград я посетил одно из первых организационных собраний нонконформистов на квартире Арефьева на Петроградской.

_____

* Он стал очень целеустремленным и трезвомыслящим наряду с Ю. Жарких, руководителем ТЭВа.

На одно из собраний Арефьев привел молчаливого сибиряка Володю Некрасова. Не знаю, из каких бараков пришел этот человек, но его принадлежность арефьевской школе бесспорна. Высота художественного уровня его граничила с гениальностью, настолько блестяще он владел композицией, цветотональностью и образностью персонажей. Он был настоящий русский художник, если и литературный, то в том же смысле, в каком литературны Суриков, Филонов, Петров-Водкин. Я говорю «был», так как в Нью-Йорке, где он теперь живет, его живопись так же нужна американцам, как Бетховен — глухонемым.

Наташа Жилина (б. Нейзель, б. Шагина) на собрания нонконформистов не ходила, на выставках как-то не участвовала. Она была тоже из группы Арефьева. Талантливому живописцу с прекрасным художественным зрением, ей недоставало какого-то существенного элемента, который я назову художественный рационализм. Когда началось безумное поветрие бегства художников за границу, она была категорически против. Потом вдруг сама захотела уехать, вывезти, «спасти» прекрасную коллекцию живописи арефьевской школы. У нее собирались и сами художники. Голодные и сирые, как Устюгов, кажется, всегда находили у нее приют и кусок хлеба.

Особо следует сказать о Шале (в выставках группы «Алеф» его называли Шолом, видимо, Соломон) Шварце. По насмешке судьбы он родился не в то время и не в том месте, где мог бы стать фаюмским художником, Сезанном или Руо. Однако стал Шварцем для тех, кто имел счастье узнать его живопись. И это счастье компенсирует его неудавшуюся жизнь бедняка, маляра, одинокого больного человека. В поражении — своя победа. (Акценты меняются: сотни американских художников и поэтов работают именно малярами и не считают это несчастьем. Говоря о русском, становишься на русскую точку зрения, уважительную к людям искусства. Последний управхоз в России знает, что художник, если он работает маляром, — несчастный человек).

Вначале, как всегда, о Шварце шли анекдоты. Дескать, он живет в берлоге, в грязи, «под каблуком матери» (под «каблуком» почему-то описывались и Васми, и Шагин, и Устюгов). Живопись на фанере и картонках валяется на полу, по ней ходят. Все ужасались. (В 70-е годы любители А. Зверева в Москве рассказывали с восторгом, как Толя мочится на свои акварели и посыпает их папиросным пеплом и луком.) С годами все прояснилось. Почти все арефьевцы провели детство или часть его во время войны в деревне. Близость к природе, земле, навозу положила начало материальной, что ли, стороне их живописи. Таяние снегов в русской деревне, ранняя весна физически сильно воздействуют на ребенка, дают ему ощущение плоти вещей. Но плоть надо осветить, одухотворить, чтобы она жила. Штукатуренные стены дворцов Петербурга и его волшебное освещение дадут этой живописи дух и свет.

Недавно я читал Jean Leymarie о Балтусе. Там есть описание того, как шестнадцатилетний Балтус копировал в Лувре «Echo et Narcissus» Пуссена.

Под окончательной композицией картины юный Балтус ухитрился увидеть еще два записанных слоя, что вместе взятое составило сложное тело живописи, которое «дало пигментам всю их насыщенность и вибрацию». Все крупные европейские живописцы знали этот феномен насыщения живописи. Знал его и Шварц. Живопись его была многослойна, многократно записывалась и переписывалась. В ней запластовывалось само время, сама жизнь художника. Многопластовость культуры Старого Света непонятна и непереводима для американского зрителя (художника, искусствоведа). Американский художник большей частью процессуалист, ему просто нечего запластовывать, а культуру он заменяет технологией. Американский зритель, даже специалист, в упор «не видит» икону, византийскую живопись, работы Шварца, Васми, Басина, Арефьева, Рапопорта и других арефьевцев.

Я всегда горько сожалею, когда реставраторы снимают позднейшие слои с иконы, обедняя этим икону, разрушая время, запрессованное в ней. Сколько времен, переписей, людских взглядов и судеб убраны реставраторами и утеряны навечно! Многослойность живописи как летопись. Ее нельзя разрушать. Ведь не препарируют же скальпелем живопись Эль Греко, Тициана, Рембрандта, Сезанна, Руо! Вот так же работал и маляр Шолом Шварц, гений «барачной школы».

Если речь идет об арефьевцах всерьез, то не следовало бы, как это делает К. Кузьминский, причислять к этой группе просто своих знакомых — например, Г. Элинсона или И. Тюльпанова, который весь вышел из Н. Акимова и немецких сюрреалистов разных времен. Зато несомненно следует причислить Г. Богомолова и А. Басина, Медведева, О. Григорьева, Т. Кернер.

В 1970-е годы Саша Арефьев делал одну из своих самых сильных работ — «Византийское пари». О сюжете этой работы мне трудно что-либо сказать, несмотря на то, что она и посейчас перед моими глазами, однако человеческие фигуры были динамичны и сильны по рисунку, перспектива многопланова и сложна, в картине не было никакой литературщины, никакой дешевой символики, никакой ребусности, которыми так сильно увлекались многие среднего уровня художники-нонконформисты и их многотысячные поклонники.

В картине «Византийское пари» сперва бросались в глаза две преувеличенно крупные фигуры, на которые зритель смотрит, приблизившись к ним, несколько сверху и почти вплотную. Они казались сплетенными из канатов — внутренняя структура давала себя знать. Зато дальнего и верхнего плана фигуры были маленькие и построены так, что зритель видит их издалека и несколько снизу. Таким образом, художник как бы помещает зрителя на огромный маятник, который внутри и вовне картины совершает головокружительные движения от первого плана (мощное звучание) к дальнему плану (звучание убывает) и наоборот. Картина была написана грубо, не имела привычного «центра», «периферии» и прочей стандартной композиционной схемы, но в работе была та «бескомпромиссная и полемическая законченность», которая напоминала нам, что «внешняя поверхность вещей имеет мало значения, ценна лишь интегральная структура»*. Как их великие учителя, Джотто и Мазаччо, Арефьев и арефьевцы «стремились к базисным, прототипным ценностям, имевшим место на рассвете человеческой жизни...» Для них было недостаточно исследовать прошлое, они желали «прорваться к самым корням, к истокам осознания человеком самого себя как **существа морали**, как **существа истории**»**. Это желание, это стремление было основой движения нонконформистов, а краеугольным камнем его был Арефьев.

...Прощайте, барачники из Эрмитажа, прощай, Саша!

Сан-Франциско

1980-е годы

4

---

* Giulio Carlo Argan. «The Fifteenth Century». NY, 1950, p.20.
** Ib.

ПОСЛЕДНИЕ ВЫСТАВКИ

Лето 1975 г. Москва шумит. Здесь, в Советский Союз, понемногу проникает Запад. Здесь можно попасть на «парти» к дипломату Мэлу Левицкому, посмотреть у него добротный кинобоевик, увидеть произведения Е. Рухина, Э. Неизвестного и других советских авангардистов, отведать, наконец, заморских яств. Здесь можно выставить свои работы в квартире Оскара Рабина или у Риммы Городинской без особого страха быть схваченным агентом КГБ или милиционером. Последний будет даже вежливо объяснять посетителям: «На выставку во второй этаж, дверь направо». О выставках нонконформистов на 10 квартирах одновременно объявлено иностранным корреспондентам, и они, в случае чего, поднимут такой шум!

В квартирах, где выставки, атмосфера приподнятая: художники чувствуют себя в центре внимания, их фотографируют на фоне работ, фотографируются с ними, приценяются и покупают работы. Ведь где еще можно купить картины нонконформистов Москвы, Ленинграда, Таллинна, Одессы, Киева? Покупают ученые, врачи, инженеры. Покупают иностранцы. Самые разные люди удивляются, почему мы не видим такое искусство на официальных выставках, в музеях? «А вы спросите об этом у властей, — отвечают художники. — Пишите в газеты, на радио и телевидение. Этим вы поможете и себе, и нам». Часов в 12 ночи, когда выставка уже закрыта, робкий звонок в дверь: «Позвольте посмотреть выставку. А то охраняю вас, а что охраняю, толком не знаю». Входит милиционер. На груди у него хрипит радиопередатчик. С интересом проходит он по квартире. «Ничего такого страшного тут не вижу. Даже нравится». Он рассказывает, что в детстве учился в художественном кружке, просит простить за беспокойство и вежливо уходит...

Выставки на всех квартирах проходят спокойно. Ну есть «незначительные» неприятности, например, хулиганы избили сына Рабина, у кого-то отрезали освещение, кому-то пригрозили лишением московской прописки, но в целом все о'кей. Довольные, с какими-то деньгами, а главное, с надеждой, что все может наладиться, художники возвращаются по домам.

Теперь, издалека, я часто думаю, почему власти разрешили все это? Почему до этого были бульдозеры, аресты? Почему после этого были аресты, избиения, отравления, смерть Е. Рухина, массовый выезд, а точнее, изгнание художников за границу?

Вот, например, хроника совсем другой выставки. В феврале того же семьдесят пятого года группа художников-нонконформистов Ленинграда, человек пятнадцать, приехала в Москву, чтобы впервые показать москвичам ленинградский авангард 70-х годов. На Большой Садовой в доме 10, где, говорили, проживал в тридцатые годы булгаковский Воланд, развернулись следующие события.

Экспозиция была незабываемая, насыщенная. Картины висели от пола до потолка. Волшебно мерцали цифры и буквы на холстах Леонова, загадочно вершили свою жизнь нимфы и бесы Богомолова. Саша Арефьев вновь выплеснул боль и ужас 50-х годов. Разыгрывались фантастические мистерии Дышленко... Вечером приехали зрители: московские поэты, ученые, коллекционеры (Г. Костакис среди них), иностранные дипломаты. Успех был колоссальный, отзывы высокие. «Не похоже на москвичей, не похоже на Запад, очень человечно. Это своя, ленинградская школа». Большинство работ было распродано. Единственное, о чем попросили художники, — это не забирать работы до закрытия экспозиции. Выставку предполагалось держать дней десять.

Но на следующий день началась бесовская вакханалия. Началась исподволь, с прихода представителей отдела культуры. Они стали тихо увещевать о том, чтобы закрыть выставку и перевести ее в некий выставочный зал, который нам якобы дадут. После нашего категорического отказа они резко изменили тон, а один из них вдруг надел повязку дружинника и сказал, что мы нарушаем общественный порядок и что от жильцов поступили заявления. Тем временем у подъезда появился милиционер в полушубке и валенках, который выпускал граждан с выставки, но на выставку не впускал. Даже поэта Евтушенко не впустили, когда он явился в своей шикарной дохе и кокетливо одетой набекрень меховой шапке в сопровождении длинной американской девицы. «Вы что, меня не знаете?» — спрашивал Евтушенко у какого-то типа в штатском, показывая свою красную книжицу. «Как же, знаем, товарищ Евтушенко». «Ну вот представьте себе, что Пушкин попросил бы у «Третьего отделения» пропустить его на выставку, неужели не пустили бы?» «Так то Пушкин, а нам не велено». Постепенно разошлись напуганные зрители, квартира опустела, наступил морозный московский вечер.

Художники боялись покинуть квартиру: уйти можно, но обратно не пустит постовой. Так ушел и не смог вернуться Арефьев, Богомолов (Глеб Богомолов впоследствии рассказал, что был единственным гостем на приеме у Костакиса, организованном для всех нас. Вина, икра, музыка и бесшумные официантки в наколках — все досталось ему одному). Через окно доброхоты доставляют нам еду.

Часов в 11 вечера через «матюгальник» милиция сообщает нам постановление о том, что мы обязаны покинуть столицу в течение суток. Отключается телефон, к наружным стенам прикреплены подслушивающие устройства, постовой топчется у подъезда, в мастерской металлоизделий, что под нашими окнами, превращенной гэбистами в свой штаб, слабое ночное шевеление.

Наутро, неведомо как раздобытый милицией, пришел старик — отец Игоря Росса. Со двора он слезно уговаривает сына не конфликтовать с властями, хватается за сердце. Его уводят в «мастерскую металлоизделий» дать валерьянки. Росс уезжает.

Запыхавшийся Арефьев кричит нам со двора диким голосом, что его избили. Как избили? Оказывается, в переносном смысле — унизили проверкой бумаг и непусканием к нам. Мы бросаем Арефьеву письмо для отправки в ЦК. В гневном его тексте говорится о правах человека, о праве находиться в Москве, о праве устраивать выставки... О, привычка заблуждаться! Арефьев уезжает.

Одновременно мы пытаемся как-то утвердиться легально. Хозяйка квартиры с нашими паспортами идет в районное отделение милиции, чтобы прописать нас временно как гостей. Ответ не замедлил дать себя знать. Полковник милиции, допущенный соседями буквально под запертые двери нашей комнаты, прокричал через замочную скважину новое постановление о том, что нам дается теперь уже 3 часа на «отступление» из Москвы. В противном случае будут взломаны двери и нас вывезут за пределы города в фургоне за нарушение общественного порядка. Постановление подписано: «техник-смотритель зданий такой-то». К этому времени нас уже оставалось человек пять. Вечер принес капитуляцию. Опустив головы, проходили мы со своими холстами мимо ярких окон мастерской металлоизделий, откуда высыпала толпа гэбистов посмотреть на нас.

Но не только посмотреть. За мной в троллейбус впрыгнул бойкий молодой парень, подчеркнуто глядя в сторону. Если бы не мой пакет, то я сбежал бы от него. В метро, например, как я это практиковал ранее, а тут пришлось ехать до Ленинградского вокзала, покупать билет и сидеть в зале ожидания, изображая покорность судьбе.

Дело в том, что я не собирался уезжать из Москвы в тот день: я не мог вернуться домой без денег, а ведь очаровательный француз Оливье Массне купил накануне мой «Семейный портрет». Значит, надо было разыскать покупателя. Когда усыпленный приобретением мной билета сексот уехал, я сдал билет и вернулся в город. Во дворе у художника В. Воробьева, у какой-то доброй и пьяной женщины, чей муж как раз вернулся из тюрьмы, я и заночевал. Наутро я судорожно рыскал по Москве, пытаясь найти телефон французского советника. Сунулся, было, к Рабину, но он отказал: пусть, дескать, ваш Жарких дает телефоны иностранцев. Кажется, Миша Кулаков дал мне телефон французского посольства. А Мишу я встретил случайно на Большой Садовой, и он пригласил меня смотреть тренировку по каратэ. Я действительно поехал смотреть эту тренировку в спортзал окраинной московской школы. Там почему-то тренировались эдакие мясистые крупные люди. Миша среди них как балет исполнял, а они переливали свои мяса с места на место. Когда же пришел сенсэй-инструктор, я чуть от страха не провалился. Мне показалось, что это был мой вчерашний троллейбусный сексот. Не попрощавшись с Кулаковым, я бежал.

Снова был вечер, снова я стоял в телефонной будке у дома Воробьева и пытался, складывая неловко французские слова, договориться с Массне: «Так вы можете получить купленную вами картину». — «Нет, я не могу». — «Что, вы совсем не хотите со мной встретиться?» — «Нет». (Через полгода он приедет ко мне в Ленинград, и покупка состоится). Растерянный и убитый, я вышел из будки, чтобы тут же попасть в лапы уже поджидавшего меня сексота, другого и устрашающего. «Поедем на Ленинградский», — сказал он. И это была его первая фраза. В сидячем вагоне мы сели на чертовски неудобные места — колени в колени. «Ну, будем спать, не раздеваясь», — сказал он и закрыл глаза. И это была его последняя фраза. Тут я его рассмотрел. Он был пожилой, кожа его лица была, как у буйвола или бегемота. На нем было пальто 50-х годов. Руки же были совершенно сюрреалистические, с буграми и наростами. Я думаю, его держали за экстерьер. Долго не знал я, на что решиться. Попытаться выйти в Бологом? Но с пакетом это трудно. Тогда, собравшись с мыслями, я написал на листе бумаги примерно такую записку: «Меня зовут Алек Рапопорт. Я ленинградский художник-нонконформист. Прошу вас по приезде в Ленинград позвонить по такому-то телефону Якову В-му или по такому-то Володе О-ву. Пусть они сообщат моей жене, что, если я не приеду домой в такое-то время, значит, я задержан КГБ». Я тихо встал, сексот открыл глаза. «В туалет», — объяснил я и вышел в тамбур. Там у окна стоял нетрезвый человек с симпатичной внешностью геолога или художника. Я рискнул обратиться к нему и разъяснил суть записки. Ни слова не говоря, он взял ее и, как оказалось впоследствии, выполнил мою просьбу.

До Ленинграда я доехал спокойно. На вокзале сексот от меня отстал. Видимо, его задача была ограничена доставкой меня в Ленинград.

Ленинградские ребята встречали нас, как героев. Было устроено бурное обсуждение, каких бывало много тогда. Сути его я не помню. Зато ярко и навсегда остались в памяти богемная комната у Геннадиева, возбужденные и разгоряченные лица дорогих для меня людей.

Итак, наша скромная по размерам московская квартирная выставка была разгромлена. Не бульдозерами и поливальными машинами, а просто одним из подразделений КГБ. Интересно, что параллельно с этим нормально функционировала другая выставка таких же нонконформистов-москвичей в Павильоне пчеловодства на ВДНХ, опекаемая другим из подразделений того же КГБ. Дело, видимо, было в том, что мы, ленинградцы, как бы нарушили правила игры, сделав неподконтрольный и несанкционированный властями шаг, передислоцировавшись из Ленинграда в Москву и внеся этим неразбериху в дела тайной полиции. Ведь все наши досье — в Ленинграде, дома и семьи — там же. Там нас было удобно наблюдать и нами руководить. Именно этого хотело КГБ, пытаясь сделать движение нонконформизма управляемым, что отчасти ему удалось.

Еще на самой первой большой нонконформистской выставке во Дворце культуры им. Газа в 1974 году участники были приглашены в кабинет директора, где не лишенный приятности энергичный мужчина в сером костюме представился нам так: «Я — полковник Панферов, начальник подразделения, отвечающего за порядок на выставке. Хотите, чтобы все прошло организованно и успешно, слушать мои команды беспрекословно, выполнять их и сотрудничать с нами». И мы слушали, и выполняли, и сотрудничали. И выставка прошла действительно успешно, хотя команды носили иной раз забавный характер. Например, такая команда из громкоговорителя: «До конца сеанса остается три минуты. Товарищи зрители, заканчивайте осмотр. Товарищи художники, проследите за эвакуацией зрителей из зала». И мы следили. И помогали дружинникам легонько выталкивать зрителей, которым этого совсем не хотелось, потому что они стояли в очереди на выставку с 5—6 часов утра на морозе, а на осмотр одной картины у них было всего шесть секунд. Или другая команда, ставшая классической, того же Панферова: «Художники — к стенке! Зрители — за решетку!» Происхождение этой команды показательно. Из всего-то в СССР любят делать дефицит, выставка тоже была дефицит, и, как при всякого рода дефиците, бывает окольный путь для избранных. Был он и на выставке в виде узкого коридорчика, за решетчатой дверью которого толпились «посвященные», впускаемые на выставку не из общей невообразимой очереди, а из **специальной** очереди (иерархия зрителей требовала бы особого описания, ибо была еще **более специальная очередь** для жен партийных руководителей и мелкой партийной сошки, а также ночные часы осмотра для тех, кто приезжал в черных «чайках» с персональными гидами из ГБ). Но, естественно, и там бывало скопление народа, особенно когда художники прибегали туда, чтобы выудить из-за решетки своих знакомых. Вот тут-то и настигала зычная команда Панферова, освобождавшая коридор от беспорядка.

Я хочу кратко остановиться на самой крупной нонконформистской выставке во Дворце культуры «Невский», 1975 г., помимо всего прочего примечательной тем, что она полностью прошла под контролем Управления Культуры и КГБ. Тут даже трудно сказать, художники ли добились выставки, КГБ ли устроило ее. Тут наметилось такое, что ли, движение в «объятия» друг другу. Выставка эта была вершиной и началом конца нонконформизма 70-х годов, и она была кинута художникам, как подачка, как награда, если хотите. К этой выставке власти добились своей цели: изучить движение нонконформистов и выработать тактику своего отношения к нему. Последняя свелась к давно известной формуле «разделяй и властвуй».

Здесь уместно сделать небольшое отступление о разногласиях между художниками. Всех нас вместе свело мощное желание выставляться, но, как и во всяком движении, у нас был центр, левый край и правый край. Основную массу — центр — возглавляли здравомыслящие люди и хорошие организаторы: Ю. Жарких, А. Леонов и В. Овчинников, которые стремились к легализации движения под лозунгами свободы творческого эксперимента, возможности выставляться с минимальной цензурой, возможности продавать работы.

В качестве «левых» выступали И. Синявин и В. Филимонов, которых распирали идеи социально-религиозных преобразований и склонность к политическим конфликтам. «Правых» представляла славянофильствующая группа «стерлиговцев» во главе с членом КПСС Захаровым, а также Петраченков, Геннадиев, Горюнов, Кубасов и др., готовые к альянсу с властями, буде те их примут в Союз Художников со всеми его благами.

Большим спорщиком был А. Арефьев, который кричал и спорил ради крика и спора. Это была его стихия и игра.

«Левые» бунтовали. В мае 1975 г. они пытались устроить у стен Петропавловской крепости «традиционную весеннюю выставку вольных художников». Конечно, эта традиция была в корне пресечена сверху. Но не просто пресечена. Начальство сказало: «Если не выйдете на выставку, если не будете поддерживать зачинщиков, получите осенью большую выставку в помещении». И по этому регулируемому руслу охотно и естественно устремилось подавляющее большинство художников, утомленных борьбой с властями, взявшими с этого момента фактическое управление движением в свои руки. И не случайно в это же время от движения начали отходить его лидеры — О. Рабин в Москве и Ю. Жарких в Ленинграде. И не только потому, что их давили и травили (Жарких буквально был отравлен, и притом в поезде Москва—Ленинград). Но и потому, что они поняли: конец близок.

Советские власти сдержали свое слово относительно осенней выставки в Ленинграде. В сентябре 1975 г. художникам дали колоссальный зал во Дворце культуры «Невский». Но не бесплатно, а ценой недопуска в экспозицию Синявина и еще двух-трех «зачинщиков» майской выставки. И все с этим согласились. Жертва показалась небольшой. Зато какой зал! Сколько участников (около ста)! Какая очередь зрителей (40 тысяч за 10 дней)! Впрочем, ошибаюсь. Из солидарности с отвергнутыми Саша Арефьев один отказался выставляться. Старый лагерник, он знал, к чему приводят «незначительные уступки». За первой уступкой последовала вторая: выставку принимала цензура. Ею было наложено вето на три темы — антисоветскую, религиозную и порнографическую, границы которых были очень расплывчаты. Изображение креста — уже религиозная пропаганда, изображение обнаженного тела — порнография. И это мы проглотили.

Выставка все же получилась хорошей, какой-то звучной. Организационный и дизайнерский талант Жарких сделал экспозицию емкой и легкочитаемой. Какое было разнообразие стилей, жанров, техники! Вот на центральной стене серия огромных холстов Е. Рухина с крышками канализационных люков, трафаретными табличками «вход воспрещен», иконами — весь сегодняшний день несчастной России.

Слева от Рухина — сюрреалист высочайшего качества Вадим Рохлин. Его сюрреализм духовен, чего не скажешь о лучших сюрреалистах Запада.

Справа от Рухина — таинственные сюжеты: «Три фигуры», «Ужин», и «Портрет сына» автора этих заметок. «Три фигуры» были замечены только профессионалами. Высоко оценил ее покойный Ватенин. О «Портрете сына» один искусствовед Союза Художников заметил, что эту работу не следовало выставлять, т.к. у мальчика совершенно антисоветское выражение глаз. А приезжий немец сказал, что в мистическом взгляде мальчика виден завтрашний день мира. Об «Ужине» говорилось всякое. Одни: «Ваши персонажи такие тощие, а ведь блокада уже давно кончилась». Другие: «А что значит красный человечек без ног? Уж не символ ли он советской власти?» Третьи: «А почему евреи едят рыбу? Не надругательство ли это над христианским символом?». Четвертые: «Какая философская работа! Ей место в музее». Пятые: «Почему образы евреев такие отталкивающие? Ведь вы же сами еврей»... Чего только не услышишь на выставке!

Лишь один автор, Игорь Тюльпанов, нравился почти всем: от уборщиц, подметавших зал, до академиков. Тщательная выписанность подкупала сама по себе. Выписанность и обилие предметов и предметиков, видимое количество вложенного труда. О его двух работах сразу поползли слухи, дескать, консул ФРГ предложил за каждую работу по 50 тысяч рублей. Потом дошло и до миллиона...

Как всегда, глубоки и художественны были работы Богомолова, Некрасова, Басина, Гуменюка... Но я не собираюсь описывать всю выставку. Это только так, отдельные заметки в свете наших взаимоотношений с властями. Любопытно, что на выставку отреагировала газета «Ленинградская правда», углубляя раскол среди художников и дезориентируя публику, истосковавшуюся по правде и искреннему искусству. Выставка в «Невском», повторяю, явилась вершиной и концом нонконформистского движения 70-х годов.

К сожалению, большинство критиков, писавших о нашем движении, оценивали и выпячивали только литературно-социальный момент, дезориентируя и так недостаточно просвещенную публику. Поэтому «героями» движения становились часто художники понятного литераторам (о них легче писать) иллюстративно-памфлетного плана, анекдотического концепта и просто недвусмысленной политической сатиры. Художники-авторы, функционировавшие в сфере пластики, проходили для широкой публики незамеченными, хотя именно они и составляли невидимую, но базисную часть айсберга, именуемого «движение художников-нонконформистов 70-х годов». Явление это, впрочем, не новое и всегда имело место: Оноре Домье был популярен при жизни газетными карикатурами — посмертно восхищаются его живописью.

Досаден был и другой факт. Почему-то судьями в области искусств, чуть ли не в окончательной инстанции, считались иностранные дипломаты. «Такого-то покупают, а такого-то нет», — было едва ли не окончательным приговором тому или иному художнику. Истинную цену иностранным дипломатам и не только дипломатам мы поняли с запозданием на собственном горьком опыте.

На этой же выставке в «Невском» стихийно образовался «угол еврейских художников», что вызвало резкое неудовольствие прежде всего у славянофилов-стерлиговцев («вы подвергаете наше движение опасности») и навело меня и еще несколько человек на идею создания сепаратной выставки еврейских художников, что вскоре вылилось в создание группы АЛЕФ. Первым неевреем, которого я пригласил, был Арефьев. Быть художником-нонконформистом — уже остро. Быть при этом еще и «еврейским художником» — просто скандальная для СССР ситуация, отчего Арефьев, готовившийся к эмиграции по израильскому вызову не мог не быть в полном восторге. Подобно какому-нибудь бабелевскому «дикому мужику из Нерубайска», этот тонкий знаток античной философии и литературы бегал везде и кричал грубым голосом, что он потомок одесских биндюжников, что его деда звали Арье (откуда фамилия Арефьев) и что если в ОВИРе усомнятся в его еврейском происхождении, он достанет из штанов и продемонстрирует инспектору ОВИРа тов. Байковой еще более веское и наглядное доказательство своего еврейства.

Последняя наша ленинградская весна 1976 г. началась с апрельских солнечных лучей, осветивших последнюю экспозицию в клубе «Эврика» в студенческом городке на юге Ленинграда. Пожалуй, это была самая **острая** из всех наших выставок — по уровню, по ослепительно яркой экспозиции и... по чувству обреченности.

За несколько дней до этого Глеб Богомолов тайнообразующе пригласил меня на свидание около университета и сообщил, что будет выставка «избранных» 15 или 20 художников. Просьба об этом никому не говорить. Но сексоты не дремали, и когда человек 15 художников приступили к развеске работ, в клубе начали появляться какие-то серые люди с военной выправкой. Начали вспыхивать и угасать споры, перешедшие к вечеру в бурное обсуждение. Среди других работ я выставил театральные эскизы к пьесе Брехта «Страх и отчаяние Третьего рейха». Среди прочих там была сцена в солдатском туалете, изображенном у меня достаточно натуралистично. И вот один из зачинателей споров усмотрел в отверстиях в полу не больше и не меньше как силуэт... Богоматери: «Что ж это вы насмехаетесь над христианскими святынями?». Это весьма показательное замечание. Во-первых, его высказал работник КГБ. Во-вторых, это было сказано еврею. Подобные замечания и высказывания не раз и не два звучали на нонконформистских выставках 1974—1976 годов.

Советская власть в трудные для нее времена всегда прибегает к спекуляции религиозными чувствами, всегда тлеющими в душе русского человека. Я думаю, что на это будет сделана серьезная ставка. Уже никто не верит в «сияющие вершины», равно как в сладкую улыбку Ильича. Советское государство катится навстречу новому катаклизму. КТО ВИНОВАТ? Да кто как не евреи! Это они убили царя, сделали революцию, построили лагеря, организовали обе мировые войны... Но самое главное: это они повергли Россию с ее тысячелетнего христианского пути на ложный путь социализма, чуждый русскому народу. Они разрушили религию и храмы. Но справедливость (говорят кагебисты-коммунисты) восторжествует. Родная Русская Христианская, Христианско-социалистическая, Православная и т.д. партия (название найдется) сметет еврейских врагов с лица земли и поведет русский народ к подлинным сияющим вершинам. Тогда-то и начнется заключительный акт трагедии российского государства. Торговля святынями, лжепророки, лжемессианство. Быть может, этот акт уже начался в наши дни.

Но вернусь к выставке в «Эврике». Вечером, в лучах заходящего солнца было обсуждение. Как боги Олимпа, восседали на эстраде художники и поэты. Энергичные, красивые, с высшей печатью Знания и Духа, осенившего их. Восторженно были мы приняты студенческой аудиторией. Естественно, дискуссию вел человек с военной выправкой. Что, мол, все это прекрасно, поиски формы, колоризм и т.п. Но вот скажите-ка, друзья, какие работы здесь (широкий жест на стены) посвящены ...му съезду нашей партии? Вот тут-то, думали гэбисты и некоторые зрители в зале, произойдет маленькая загвоздочка.

Но загвоздочки не произошло. На эстраду спокойно взошел Саша Арефьев и сказал: «Я вам отвечу. Здесь все работы посвящены ...му съезду партии. Ибо никто, как мы, художники, печемся о благе нашей родины и народа». Это был потрясающий эффект: буря аплодисментов и провал клики гэбистов.

Последовало затем много прекрасных выступлений художников, поэтов Охапкина, Кривулина, Нестеровского и др. Был удивительный контакт с молодежью и полный триумф. Но конец был уготован обычный, и спровоцировало его появление на стенах картин В. Филимонова с религиозными сюжетами. Незамедлительно возникла в зале группа молчаливых людей, стриженных ежиком и в одинаковых серых костюмах. И как-то сама собой наступила тишина, в которой прозвучали тихие слова: «Немедленно все снимайте и уносите, а то...» И потянулась вереница художников со свертками и опущенными головами.

Где-то в мае опять забрезжила идея выставки под открытым небом у Петропавловки. Собрание к предполагаемой выставке состоялось в квартире Бугрина по приглашению Синявина. На собрании просто физически ощущался глаз КГБ, да и высказываемые идеи звучали нереально. Так как выставка у Петропавловской крепости с самого начала была обречена на провал, то обсуждалась возможность голодовки протеста с религиозным уклоном, а также решено было саму выставку не проводить, т.е. художникам к крепости не идти, но объявить проведение выставки как концептуальный акт. Как известно, в день выставки власти стянули к крепости милицию и войска, но художников там практически не было.

Накануне объявленной выставки, в 12 часов ночи, меня разбудил звонок в дверь, и торжественный отеческий голос полковника ГБ Панферова провозгласил: «Добрый вечер, Александр Владимирович!..»

В одну из майских ночей был трагически убит Е. Рухин. Произошло покушение «хулиганов» на А. Леонова. Кого-то уволили с работы, лишили мастерских и просто заставили замолчать. Кого-то стали заманивать в Союз Художников. На станции метро «Горьковская» был арестован Арефьев после спровоцированной драки. Вот тогда-то, арестовав его на 15 суток, допытывалась судья Медведева, что же такое профсоюз работников искусств. О его аресте никому не сообщили, и через пару дней его жена, а также архитектор В. Шевеленко, художник А. Окунь и я пошли в Большой дом на его розыски. Он уже был в «Крестах» и схватил сильнейший бронхит. А еще через несколько дней многие художники, в том числе Арефьев и я, запуганные, но не сдавшиеся, подали бумаги в ОВИР. К этому времени через Е.Б. Гуткину* до меня дошел зловещий слух, что меня намерены привлечь к ответственности как «сионистско-фашистского художника».

Помню обед с грибами, собранными Сашей где-то в районе ленинградского аэропорта, где он снова был задержан милицией, но скоро выпущен — власти всерьез ускоряли наш выезд за границу. На этом веселом обеде мы мечтали о свободе на Западе, которая пьянила нас издалека. Саша и Ж. были одеты в смешные саваны из простыней по причине жаркого лета. Много пили, много смеялись. Не знали, что свобода выйдет нам боком, а саваны... ох как скоро оденут нас всерьез.

Сан-Франциско

1980-е годы

5

---

* Удивительная и противоречивая фигура: гениальный искусствовед и гениальная авантюристка, интриганка, контрабандистка. Она оказывала всяческую помощь десяткам художников и поэтов-нонконформистов в их выезде из СССР. Едва ли не миллионер, умерла нищей после суда и лагеря в конце 70-х годов.

ЗНАКОМСТВО С СЕСТРОЙ АННОЙ ГИЛЛЕН

Когда после шестидневной войны начался рост самосознания среди еврей-ских (и нееврейских) интеллектуалов в Ленинграде и Москве, он пошел по странному и подчас неприемлемому для Запада катакомбному пути ранних хри-стиан. Несомненно, что вся история интеллектуальных евреев в России была историей несения креста своего интеллектуального еврейства, историей углуб-ления русской культуры и обогащения ее европеизмом в христианско-гуманис-тическом смысле этого слова.

Конец 1960 — 1970-х годов привнес в этот процесс большую стереоско-пичность, приблизив (в который уже раз!) Ближний Восток и Средиземноморье к России. Вновь началось изучение и переосмысление Библии, иврита, восточ-ных философий, христианства. Вновь византинизм напомнил о себе и о нераз-рывной принадлежности России к Средиземноморью. Вновь дала о себе знать моноцентрично-конусовая конструкция русской культуры.

Очень ярко этот всплеск византинизма отразился в так называемом «дис-сидентском» движении художников 1974–1976 годов, ибо так или иначе лучшая часть художников использовала в своем творчестве структуру византийского иконного пространства в противовес описательной деконструктивности социалистического реализма, с одной стороны, и столь же беспринципной анар-хичности современного западного (американского) искусства — с другой. Путе-водная нить возрождения византийской культуры прямым путем вела в Равен-ну, Рим и Ватикан с католицизмом, папством и сосредоточением памятников византийской культуры. Возможность посетить Рим была одним из решающих моментов в желании многих художников эмигрировать.

■

Первый раз я увидел Сестру Анну в Канзас-Сити в 1977 г., где я был с передвижной выставкой советских еврейских художников «12 из советского под-полья». Следует сказать, что в 70-е годы в СССР я культивировал себя как ев-рейского художника и всемерно способствовал развитию еврейского культур-ного движения. Это было тогда и нужно, и опасно. Мое творчество включало сюжеты Нового и Ветхого Завета; темы, связанные с шестидневной войной; символически-еврейские и романтические образы по мотивам И. Бабеля.

По приезде в США я очень быстро понял, что быть еврейским художником в США невозможно, т.к. питательная еврейская среда здесь отсутствует начисто. Те американцы еврейского происхождения, которые считают себя евреями, со-блюдают лишь внешние традиции восточноевропейского местечка 70—100-летней давности, что совершенно нелепо для еврея-интеллектуала, выходца из СССР, который одинаково сильно реагирует на еврейскую историю 2—3 тысячелетней давности и имеет перед собой богатую и трагическую историю евреев в советское время. Американские евреи лишены подобной перспективы вообще, не говоря о том, что вопросы религии и истории их не особенно волнуют, отступив на задний план перед вопросами бизнеса.

Итак, я встретил Сестру Анну именно в то время, когда понял, что быть еврейским художником в США — примерно то же, что быть еврейским художником на Марсе. По контрасту с американскими активистами, евреями и неевреями Сестра Анна отличалась удивительной мягкостью и мужественностью поведения. Помимо работы в католическом Сестричестве Святого Дитя в Чикаго, к которому она принадлежала, Сестра Анна оказалась деятельным борцом за свободу угнетенных национальных и религиозных групп в СССР, за право на выезд советских евреев, за сближение позиций евреев и христиан на Западе. Не имея даже машины, скромно одетая, в своих резиновых тапочках, с единственным украшением в виде крупной Звезды Давида на груди, она приходила туда, где ее ждали. Когда в СССР была арестована и сослана активистка еврейского движения Ида Нудель, Сестра Анна обратилась к советскому правительству с предложением заменить Иду Нудель в лагере, взяв на себя ее лагерный срок. Я полагаю, что Сестра Анна была движима таким же истинно христианским чувством, как тот священник в Освенциме, который перед газовой печью занял место еврея.

Именно после встречи с Сестрой Анной у меня появилось побуждение продолжить новозаветную линию в моем искусстве, которую я начал еще в СССР сюжетом «Христос и женщина из Самарии». Я сделал ее, чтобы показать, что «спасение **исходит** от иудеев», то есть что христианство зиждется на **исполнении**, а не на отрицании ветхозаветных заповедей. Дело лишь в том, что Иисус Христос — великий нонконформист, а нонконформистов всегда подвергают гонениям. Значение Его как нонконформиста особенно важно в сегодняшнем мире, где забыты старые истины.

Одновременно с живописными работами я начал делать четыре офорта на евангельские сюжеты:

1. **Неверие Фомы** (От Иоанна 20:27-29).
2. **Явление Христа** (От Иоанна 5:17-29).
3. **Иисус Христос — Источник Жизни** (От Иоанна 14:6).
4. **Иоанн Креститель и Иисус Христос** (От Иоанна 1:25-36).

Эти работы я предполагал подарить в коллекцию Ватикана.

Первый лист «Неверие Фомы» относится ко всем нам, то есть к людям, не способным и не хотящим принять веру, изменить свою природу, постоянно надеющимся на чудо, которое придет извне и повернет их жизнь к добру и счастью.

Второй сюжет — «Явление Христа» — сведен к погрудному изображению Иисуса Христа, величественному и скорбному. Он пришел в мир, чтобы пострадать за людей, но, будучи не понят и не принят, лишь увеличил их земные страдания. Разве не такова судьба пророков, особенно в России?

Третий лист — «Источник Жизни» показывает Свет, исходящий от Истинного Пути, Правды и Жизни. При этом происходит обыденная жизнь: одни слушают, другие не понимают, третьи спят, четвертые готовят измену и т.д.

В четвертом листе — «Иоанн Креститель и Иисус Христос», пытаясь выйти из рамок замкнутой русской культурной жизни, я как бы вывел действие на берег Тихого океана.

Глубокая вера в моральность «еврейства» и чистоту подлинного христианства позволили мне завершить эти офорты, что заняло у меня три года.

Офорты были напечатаны в Окланде (Калифорния), в Кала — Интернациональном Художественном Институте, на французской бумаге BFK RIVES, очень ограниченным тиражом, с помощью художника и печатника японца Юзо Накано. Организовала весь процесс женщина-йог по имени Арчина.

В январе 1981 г. Сестра Анна приехала в Сан-Франциско. Мы встретились. Я показал ей офорты и сказал о своей мечте подарить их римскому Папе Иоанну Павлу II. Сестра Анна откликнулась сразу. Она одобрила мое решение и предложила сначала передать их в Ватикан через свое Сестричество Святого Дитя, однако это оказалось совсем не просто.

Дальнейший ход событий лучше всего виден из переписки между Сестрой Анной, ее коллегами по Сестричеству, мною, а также различными должностными лицами Ватикана.

[Здесь обрывается запись, сделанная Алеком Рапопортом].

Сан-Франциско

1983 год

■

Ирина РАПОПОРТ
ПРИЛОЖЕНИЕ

Я считаю своим долгом закончить запись А. Рапопорта о продвижении его офортов в личную коллекцию Папы в Ватикане и привожу краткие отрывки из этой переписки (переведенные с английского). Также прилагаю наблюдения А. Рапопорта о состоянии религиозного искусства в современной Америке.

От Сестры Анны А. Рапопорту

22 января 1981 г.

... Для нашего Сестричества будет большой честью представить Ваш подарок Папе. Сегодня же я начну узнавать о правильном пути для осуществления этого проекта...

От А. Рапопорта Сестре Анне

13 мая 1981 г.

... Сегодня я был в шоке, узнав о покушении на Папу. Действительно ли наш мир движется к катастрофе?

... Вы спрашиваете о моей выставке. Она прошла довольно успешно, но я был крайне разочарован видеть полное безразличие к моим религиозным работам, которые, в чем я глубоко убежден, наиболее важные и сильные в моем творчестве.

От Сестры Анны А. Рапопорту

12 июня 1981 г.

... Наконец у меня есть для Вас информация. Наиболее правильный путь, когда сам художник предлагает свою работу Папе, через Его преосвященство Кардинала Касароли, Государственного Секретаря в Ватикане, который назначит лицо, ответственное за дальнейшее: представление для рассмотрения Вашего резюме, фотографий с работ и всех данных о них.

От А. Рапопорта Его Преосвященству Кардиналу Касароли, Гос. Секретарю, Ватикан.

Июнь 1981 г.

...Только оказавшись на Западе, и особенно после разнообразных и живых впечатлений от жизни и искусства Италии, я свободно и открыто работаю над религиозными сюжетами. К сожалению, религиозное искусство не всегда приемлемо на Западе.

От Архиепископа Пио Лаги (посла Ватикана в Вашингтоне) А. Рапопорту

27 июля 1981 г.

Дорогой г-н Рапопорт,

мне сообщили из офиса Гос. Секретаря [Ватикан], что они получили Ваше письмо от июня 1981 г., информирующее их о Вашем щедром желании подарить четыре офорта от Евангелия Св. Иоанна Его Святейшеству.

От имени Римской Епархии я с удовольствием сообщаю Вам, что Его Святейшество будет рад принять Ваш подарок и что офорты могут быть посланы непосредственно в Римскую Епархию [адрес Ватикана] или через наш офис [в Вашингтоне].

Позвольте мне воспользоваться случаем послать Вам лучшие пожелания. С сердечным приветствием, я остаюсь

искренне Ваш

Архиепископ Пио Лаги.

От Архиепископа Пио Лаги Сестре Анне

24 августа 1981 г.

... Я благодарен Вам за полученные сегодня утром офорты советского еврейского художника Алека Рапопорта. Пожалуйста, будьте уверены, что письмо и работы г-на Рапопорта будут отправлены в Ватикан в соответствии с Вашей просьбой ...

От А. Рапопорта Сестре Анне

31 августа 1981 г.

Дорогая Сестра Анна, спасибо за добрые новости. Я был близок к слезам от Вашей доброты и помощи. Сейчас я хочу объяснить Вам некоторые вещи.

Почему меня тянет к римско-католической Церкви? Концепция искусства сама по себе была всегда неразрывно связана для меня с христианством, особенно с католицизмом, через моих любимых художников Джотто, Мазаччо, Микеланджело и др.

Также, в моем представлении, Институт Пап — прямой наследник апостола Св. Петра. Святой Петр, его сподвижники и их Великий Учитель происходили с земли, создавшей Библию, с земли Иисуса Христа. Так что моя приверженность не означает, что я «предаю свой народ».

Я с уважением отношусь ко всем религиям, которые не противоречат, но обогащают одна другую. Я скорблю о возможной неправильной интерпретации моего искусства и деятельности. Мое утешение в том, что мои русские, русско-еврейские и некоторые американские друзья воспринимают меня адекватно. Позвольте мне считать Вас, дорогая Сестра Анна, среди них.

Е. Мартинез (Ватикан) А. Рапопорту

21 сентября 1981 г.

Дорогой г-н Рапопорт, Его Святейшество Папа Иоанн Павел II поручил мне поблагодарить Вас за дар в виде четырех офортов, которые Вы представили на его рассмотрение. Он хочет, чтобы Вы знали, что он благодарен за Ваш внимательный жест и ценит Ваши преданные чувства, побудившие этот жест.

Его Святейшество от всей души желает, чтобы Господь ниспослал Вам свою милость, мир и радость.

Искренне Ваш

Е. Мартинез (по поручению).

■

Итак, в сентябре 1981 г. четыре офорта А. Рапопорта были приняты в личную коллекцию Папы Иоанна Павла II в Ватикан. А. Рапопорт считал это событие одним из самых важных в своей жизни.

Однако двери американских художественных галерей были по-прежнему закрыты для его религиозных работ, а постоянные отказы стали закономерностью. Это шло полностью вразрез с выступлением Папы перед художниками:

«...Религиозные и христианские источники искусства никогда полностью не пересыхали... Церковь нуждается в искусстве... церковь нуждается в образах. В Новом Завете Христос назван образом, иконой невидимого Бога».

Антирелигиозность и антиклерикализм определенных кругов США продолжали возмущать художника. Высшей точки эти явления достигли в реакции на художественную выставку, которая должна была состояться в ноябре 1983 г. в сан-францисском Де Янг Мемориальном Музее. Эта выставка коллекций Ватикана под названием «Папство и искусство» вызвала к жизни оскорбительную и глумливую статью Роберта Хьюга «Культура на папский манер», опубликованную в журнале «Тайм» (14 февраля 1983 г. (?). В статье отрицалась не только духовно-религиозная, но и культурно-художественная ценность выставки. Так, блистательная коллекция современного религиозного искусства сравнивалась с... «кучей мусора». Более того, причиной проведения выставки автор статьи считает «манию обанкротившихся пап к ляпис-лазури и золоту».

«Мне кажется, единственный человек во всей Америке, который понимает и поддерживает меня, это святая женщина — Сестра Анна Гиллен из Сестричества Святого Дитя в Чикаго», — с горечью говорил художник.

А. Рапопорт решился на новую акцию — перед входом на эту выставку провести двухнедельную голодовку в защиту христианского искусства с демонстрацией Манифеста и своих двух-трех работ. При помощи этой акции А. Рапопорт надеялся привлечь внимание общественности к ненормальному положению религиозного искусства в современном мире, «который стремится к своему бездуховному концу. Другого пути я не вижу». Текст Манифеста гласил:

Я ВСЕЦЕЛО ПОДДЕРЖИВАЮ ПРОВЕДЕНИЕ ВЫСТАВКИ РЕЛИГИОЗНОГО ИСКУССТВА ИЗ ВАТИКАНА В США

Я ВЫСТУПАЮ ПРОТИВ БЕЗДУХОВНОСТИ, АНТИРЕЛИГИОЗНОСТИ И КОММЕРЧЕСКОЙ НАПРАВЛЕННОСТИ СОВРЕМЕННОГО ИСКУССТВА

Я ОБЪЯВЛЯЮ ДВУХНЕДЕЛЬНУЮ ГОЛОДОВКУ В ЗАЩИТУ РЕЛИГИОЗНОГО ИСКУССТВА

1. В СССР религия запрещена, чтобы подчинить массы идеям коммунизма, — В США религия практически удалена из жизни общества, и общество все больше подпадает под идеалы коммерциализма.
2. В СССР искусство партийной идеологии вытеснило искусство Духа — В США искусство рекламы вытеснило искусство Духа.

3. В СССР идеология подавляет искусство —
   В США искусство не имеет идеалов.
4. В СССР идейное содержание картины важнее ее формальных качеств —
   В США рама и бумага подчас важнее изображения.
5. В СССР религиозное искусство давили бульдозерами, и там я был религиозным художником-диссидентом —
   В США религиозное искусство подавляется равнодушием, и я снова вынужден быть диссидентом.
6. В СССР уничтожение религии и религиозного искусства привело страну к катастрофе —
   В США пренебрежение к духовным ценностям может привести к такой же катастрофе.

Алек Рапопорт, художник

Сан-Франциско,

1983

Как положено в таких случаях, А. Рапопорт обратился к городским властям Сан-Франциско с объявлением о своей демонстрации. Через несколько дней приятный мужской голос отрекомендовался по телефону сотрудником ЦРУ, расспросил, чем вызвана акция, попросил от нее отказаться, обещал помочь с выставкой и впредь обращаться к нему с проблемами. Еще через несколько дней А. Рапопорту было предложено выставить свои религиозные работы в Центре Милосердия в Бурлингейме, Калифорния.

Приводимые ниже отрывки из писем от Сестер этого Центра А. Рапопорт воспринял как высочайшую для себя награду.

Сестра Сюзанн Тулэн:
...Мы считаем большой честью иметь Ваши работы на выставке в нашем Центре. Это — богоугодные работы, и они напоминают нам о нашей миссии в этом мире. К счастью, мы предполагаем приезд нескольких гостей, ищущих у нас уединения. Уже одна из наших Сестер сообщила, что она намерена провести время в молитве перед каждой Вашей работой. Много других прихожан отозвалось о Ваших работах очень доброжелательно. Я знаю, что они помогли многим людям познать Бога. Я благодарна Вам за это.

Ваш «Святой Франциск» [А. Рапопорт подарил Центру эту живописную работу] чрезвычайно взволновал нас. Мы не можем поверить в нашу удачу. Он займет почетное место в нашем доме.

38

Я собираюсь написать статью о выставке для газет, чтобы посетители смогли прийти и увидеть Ваше святое искусство так же, как могут сделать те, кто находит у нас уединение.

Я предвкушаю, что в будущем мы сможем опять дать временное пристанище Вашему религиозному искусству, в котором все элементы линии и цвета пропитаны духом богословия.

Через два года выставка повторилась.

Сестра Мэри Васковяк:

...Ваши работы, выставленные здесь, в Центре, вдохновили многих. Сила и глубина Вашей духовности нашли яркое выражение в Вашем искусстве.

Ваше искусство и Ваш талант получили самые высокие отзывы от Сестер Сюзанн и Патриции Тулэн, которые уже многие годы курируют искусство в нашей общине. Они пришли в мой офис и настаивали, чтобы мы показывали Ваши работы на выставке как можно дольше. Если бы выставка продолжалась бесконечно, мы были бы счастливы.

Желаю Вам как художнику, чтобы вдохновение никогда не покидало Вас. Пожалуйста, знайте, что Ваши работы и Вы сами всегда можете иметь пристанище в нашем Центре Милосердия.

Завершить эти заметки мне хочется словами Архиепископа **Пио Лаги** (посла Ватикана в Вашингтоне), адресованными А. Рапопорту: «Несомненно, Ваш исключительный талант поможет другим познать и полюбить нашего Господа и Спасителя Иисуса Христа».

■

Что касается Сестры Анны Гиллен, то она умерла в начале 1990-х годов от мучительной болезни, приняв смерть с покорностью истинной служительницы Бога. Мы искренне оплакали эту потерю.

Ирина Рапопорт

Сан-Франциско

2001 год

НА ПУТИ К ЭМИГРАЦИИ

«**З**автра к тебе придет моя тетя», — таинственно сообщил мне по телефону Эрик где-то зимой 1973 г. К этому времени начали появляться подспудные течения будущего движения нонконформистов в невидимой сфере художественной жизни Ленинграда.

Анна Борисовна пришла оживленная, оглушив моих домочадцев своей торжественной осанкой и величавой поступью. Небрежно скинув шубу на мои оробевшие руки и глядя мне прямо в лицо своими умными оловянными глазами, она произнесла низким голосом:

— Алек, дорогой, да будет вам известно, что я собираюсь выставить ваши работы в лучшем музее Иерусалима.

— ?!?

— Да, Алек, не тратьте зря время, отберите 30 лучших своих работ и назначьте за них любую сумму.

Легко понять, что я был ошарашен, учитывая, что еще никогда не продавал своих работ и что был в это время вообще безработным. И вдруг открываются такие заманчивые перспективы!

После этого начались странные и таинственные переговоры, для которых я приходил домой к А.Б. в ее квартиру на ул. Герцена. И квартира, и все ее обитатели были окутаны таинственным налетом. Бесшумно скользили по лощеному паркету два приближенных молодых человека, Марик и Эрик, в мягкой обуви и со значительными лицами. Какие-то люди приходили и уходили, на столе были разложены то образцы редкого фарфора, то коллекционные деньги.

Иногда в дверях меня встречала компаньонка А.Б. — Элоиза Анатольевна. «Дитя мое, — шептала она, приложив палец к губам, — А.Б. занята с одним человеком, **вы понимаете**? Тихо пройдите в другую комнату». Я, надев комнатные туфли, на цыпочках проходил в другую комнату, чувствуя себя сопричастным к великим тайнам.

Вскоре 30 моих лучших работ перекочевали в квартиру А.Б. Назначенная мною цена — 3 тысячи рублей — была поднята на смех как очень низкая, однако деньги выплачены не были ввиду приведенных мне очень веских и настолько резонных причин, что я сам попросил А.Б. не торопиться с выплатой. При этом меня убедительно просили никому ни о чем не говорить. Однако прошел месяц, другой, третий. Я робко стал позванивать А.Б. по телефону. Обычно Э.А. отвечала, что А.Б. нет дома.

— Дитя мое, так она же еще в Москве (Риге, Таллинне и т.п.).

Говорилось это таким образом, что я снова считал себя «причастным» и на время успокаивался.

Постепенно терпение мое уменьшалось. Я стал звонить чаще. И тогда Э.А. начала отвечать по телефону измененным голосом, как бы это вовсе и не она, а ее 80-летняя мамаша, которая ничего не знает и ничего не слышит.

Тогда, невзирая на строжайший запрет, я обратился к своим друзьям, Наташе и Грише, которые знали Эрика, чтобы они воздействовали через него на А.Б. Тут разразился скандал. Я был вызван самою А.Б. по телефону к ней домой, где на меня были обрушены упреки, что я не могу хранить тайну, что люди с определенным складом неустойчивой психики не могут быть доверенными лицами, с ними нельзя вести дела в будущем и т.д. Но постепенно гнев сменился на милость, мне был подан чай в особых деревянных китайских чашечках, Э.А. значительно улыбалась и описывала мое блестящее будущее на Западе, а затем я получил аванс — 200 рублей со словами, что «он» пока больше дать не может, т.к. выкупает коллекцию Фалька и Тышлера (?!). Я был немного удивлен появлением нового персонажа, но так как мои работы оказались в обществе Фалька и Тышлера, то был и очень доволен, учитывая также полученный аванс. По дороге домой, радостный, я позвонил из автомата Ирочке в Эрмитаж, сообщив ей намеками о получении от А.Б. «большой суммы денег».

С тех пор я бывал изредка приглашаем в дом, где повторялась церемония китайского чаепития, переодевания обуви и углублялось чувство «тайного сопричастия». Иногда меня внезапно просили перейти в другую комнату, иногда просили о мелких услугах, как то: ввиду прихода очередного посетителя быстро снять со стены картину П. Филонова и поместить ее временно под кровать... А посетители были разные — от настоящей вдовы Фалька и сестры Филонова до фальшивого «племянника» в синем пиджаке с золотыми галунами и лицом рецидивиста.*

А.Б. была интересным и противоречивым человеком. Она прекрасно разбиралась в искусстве и обладала ценным даром любви к личности художника — даром редким для художественных дельцов Запада. Она, несомненно, имела сентиментальное отношение ко мне и моей семье. Когда мы уезжали, она помогла нам материально в выкупе пяти моих картин, единственных вывезенных мною, и устроила для нас троих очень трогательные и искренние проводы.

Но она сделала ложь повседневным, повсеминутным правилом своей жизни. Если она говорила: «Я только что вернулась из Вильнюса», это значило, что она была в Киеве или не уезжала вообще. Как-то я встретил ее выходящей с Андреевского рынка с букетиком цветов, она сказала: «Алек, дорогой, я как раз иду на рынок, чтобы купить цветы».

Пытаясь помочь мне заработать деньги, она привела меня к директору какого-то детского сада и представила меня так: «Это мой брат Анатолий Васильевич. Он сделает для вашего садика панно на стену». И когда через несколько дней

---

* Кстати, уже после нашего отъезда нам рассказывали, что А.Б. во время ссоры с «племянником» пыталась убить его ударом сковороды по голове. Но последняя оказалась очень крепкой.

директор детского сада позвонила мне, я, забывшись, долго отнекивался, уверяя ее, что никакой Анатолий Васильевич по этому номеру не живет.

Однажды, когда мы выходили вместе с А.Б. и Э.А. из горлообразного туннеля их дома на ул. Герцена, с нами поравнялся микроавтобус, из которого высунулось жерло фотоаппарата. Я в страхе прикрылся портфелем и закричал:

— А.Б., нас фотографируют!

— Алек, это плод вашей больной фантазии, — возразила А.Б.

Тем временем проходила выставка художников-нонконформистов в Невском ДК, и я отвлекся. Вдруг, ночью, раздался телефонный звонок:

— Алек, срочно приходите, очень важно.

На следующий день я услышал:

— Алек, дорогой, **вас** действительно фотографировали. N вчера вызывали в КГБ и раскинули перед ним на столе фотографии художников-нонконформистов, чтобы он их опознал (?!), под вашей было написано «фашист и сионист».

— Дитя мое, — вплывая в комнату присоединилась Э.А., — вам нужно немедленно все бросать и уезжать.— Да, Алек, — веско дополнила А.Б., — уезжайте немедленно. В Вене вас будет ждать квартира, в Риме вас встретит «он», а в Иерусалимском музее у вас будет сразу по приезде выставка.

В ноябре 1976 г. в римском HIAS'е ко мне подошла красивая, холеная еврейка: «Вы Алек Рапопорт? «Он» ждет вас в отеле».

«Он» оказался огромным и сильным немолодым мужчиной, которого звали Исаак Зильберберг. «Он» возлежал в постели в позе и с внешностью римского патриция. Красавица молча сидела рядом. С места в карьер Исаак рассказал о своей ненависти к А.Б. Уткиной, которая, по его словам, «всучила» ему фальшивый фарфор семьи Романовых, поддельные иконы и кучу ненужных картин неизвестных художников, которые он не может продать.

— Я бы задушил ее этими руками, — сказал Исаак, вздымая свои огромные волосатые руки, — вы можете доказать, что вы известный художник? У вас есть сертификат? — обратился он ко мне.

Я замялся — «сертификата» у меня не было.

— Вот когда у вас будут доказательства, тогда мы сделаем выставку ваших работ.

— Но как же я вас найду?

— Когда будет нужно, я **сам** вас найду. Стэлла, проводи молодого человека.

— Но как же с выставкой в Иерусалимском музее, о которой говорила А.Б.?

— Забудьте об этом. И если встретите Уткину, то просто застрелите ее.

В Италии я отвлекся текущими делами — рисовал для мафиозо Антонио Фиорелло фальшивых Пикассо, а моя жена с 12-летним сыном — фальшивых Магритов, за которые Антонио платил нам по две-три millelire за штуку. На эти деньги мы съездили во Флоренцию и Венецию. Больше я никогда не слышал ни об Исааке Зильберберге, ни о 30 вывезенных картинах, ни о выставке в Иерусалимском музее.

Вскоре мы перекочевали в США, где после «римских каникул» начались эмигрантские будни с повседневной борьбой за выживание.

В начале 80-х годов до нас дошли сведения о том, что был шумный процесс над А.Б., которая с фанатическим безумием переправляла на Запад несчетное число бесценных, ценных и фальшивых вещей со всеми отъезжающими туристами и дипломатами, легально и нелегально минуя таможню, а также и через нее. В делах с таможней А.Б. и попалась, давая таможенникам «на лапу» тысячи за недосмотр. Мы встречали на Западе людей, которые с недоумением рассказывали, как они по просьбе А.Б. вывезли вещи, картины, ювелирные изделия, оказавшиеся никому не нужными. Стало ли это у А.Б. манией вывезти из СССР решительно все, я не знаю. Во всяком случае, мои работы и работы других художников затерялись в море случайных вещей и пропали для нас навсегда.

Сама А.Б., человек талантливый и незаурядный, получила свой срок, но не отбыла его: скоротечный рак и смерть освободили ее досрочно. Ее напарница, Э.А., эмигрировала в США, тщетно пыталась собрать что-то из переправленных ими вещей и заканчивает свою жизнь на пенсии, разбитая параличом.

Я часто ловлю себя на мысли, как хорошо бы после пресной американской жизни снова оказаться на ул. Герцена, в уютной квартире А.Б. и Э.А., где А.Б., глядя мне прямо в глаза, уверяет в моих выставках в лучших музеях мира, а Э.А. нашептывает что-то «на счастье» над малахитом в кольце Ирочки или, кокетливо изгибаясь, «убаюкивает» меня:

— Дитя мое, вы даже не представляете себе, **что** вас ждет на Западе.

Я действительно не представлял, но как сладко было это заблуждение!

Сан-Франциско

1990-е годы

6

ГРУППА АЛЕФ

ПРЕДИСЛОВИЕ

В 1977 — 1978-е гг. при содействии местной американской организации помощи евреям — Bay Area Council of Soviet Jews (BACSJ) — я путешествовал в качестве представителя группы ленинградских художников АЛЕФ, известной в Америке под названием «12 from the Soviet Underground» («12 из советского подполья»), сопровождая эту передвижную выставку по многим городам Америки.

В результате моих встреч с аудиторией американских евреев я пришел к довольно печальному выводу: мои собратья, так хорошо и отзывчиво настроенные по отношению к проблемам советских евреев, имели о них весьма устойчивое (и подчас неверное) представление и не имели предрасположения его менять. Так, история группы АЛЕФ — нонконформистской группы русско-еврейских художников — была ими интерпретирована самым примитивным образом: несколько героических еврейских художников в СССР сильно пострадали от антисемитского режима, теперь же они обрели свободу и счастье на Западе. Мои слушатели становились нетерпимыми, когда я, пришелец, говорил что-либо противоречащее тому, что им хотелось бы слышать. Меня буквально прерывали в середине выступления: «Нет, г-н Рапопорт, оставьте, пожалуйста, эту тему и расскажите нам лучше о том, как однажды ночью вы услышали шаги людей из КГБ на вашей лестнице...»

Я не отрицаю основную идею о том, что у русских евреев нет будущего в России. Но художник принадлежит, вероятно, не только к своему этническому племени, но и к племени особому — артистическому? В любом случае, эти записи представляют более сложную точку зрения на группу АЛЕФ для тех, кому это еще интересно.

ГРУППА АЛЕФ КАК ПЛОД РУССКОЙ ИУДЕО-ХРИСТИАНСКОЙ ТРАДИЦИИ

Когда-то существовали целые районы и деревни как русские, так и украинские, которые приняли и исповедовали иудаизм*. Крестьяне этих деревень называли себя евреями и делили все невзгоды с реальными евреями. Власти презрительно называли их «жидовствующими». С конца XIX в. та же кличка была дана определенной группе русских интеллектуалов. Будучи русскими по происхождению, они, тем не менее, вели себя как евреи, у них были друзья-евреи, они сочетались браками с евреями, защищали евреев и т.д. Позднее в эту группу можно было бы включить академика Сахарова.

---

* Русские крестьяне новгородской и московской губерний, пытаясь избежать крепостного рабства, в конце XVII в. принимали иудаизм и постепенно ассимилировались с евреями. Теперь их потомки эмигрируют в Израиль.

Другой группе было дано не менее пренебрежительное название «христиан-ствующих». Это были евреи по происхождению, которые всем сердцем разделяли лучшие традиции и ценности русской культуры и религии, способствовали их развитию. К этой группе можно отнести поэтов Осипа Мандельштама и Иосифа Бродского, барда Александра Галича и православного священника Александра Меня.

Несомненно, вся история еврейских интеллектуалов в России была историей несения креста их интеллектуальности и их еврейства, историей обогащения русской культурой с ее всечеловеческими культурными ценностями: «Гетто избранничеств, вал и ров, пощады не жди. В сем христианнейшем из миров, все поэты — жиды...» (М. Цветаева. «Поэма конца»). Обе эти группы при слиянии образовали лучшую интеллектуальную элиту России. И обе эти группы всегда подвергались крайнему преследованию.

Ни один из членов группы АЛЕФ не соблюдал формально еврейских или других религиозных обрядов. В безнадежном поиске человеческих ценностей и принадлежности к еврейству мы обратились к лучшим известным нам ценностям русской традиционной культуры. Шестидневная война привела к росту самосознания среди русско-еврейской интеллигенции, что напоминало тот же рост самосознания ранних христиан в катакомбах. Шестидесятые — семидесятые годы внесли новые изменения в этот процесс, приблизив к России идеи Средиземноморья и Ближнего Востока. Вновь началось изучение и пересмотр Библии, иудаизма, христианства, восточной философии и иврита. Вновь воспарил дух Византии и напомнил нам о своей нерушимой связи с Россией.

Этот всплеск влияния Византии отразился в диссидентском движении художников-нонконформистов (1974 — 1976 годы), противостоящих догмам контролируемого государством искусства и цензуре. Мы пытались восстановить традиции русского конструктивизма/супрематизма, основанных на принципах русской (византийской) иконы, на ее специфической, неэвклидовой, геометрии, так отличающейся от описательной аморфности соцреализма и от анархии современного западного искусства.

Русская икона является не только основой русского изобразительного искусства, но и проникает во все сферы культуры и морали русской интеллигенции*, а мы, молодые еврейские художники, принадлежали к ней и родились из самой этой среды, мистическая идея которой была: «Вы не знаете, чему кланяетесь; а мы знаем, чему кланяемся, ибо спасение от Иудеев» (От Иоанна 4:22).

Мы также впитали в себя утопические идеи русского социализма. Коммунистические идеи могут быть обнаружены в древнееврейской секте Ессеев. Неудивительно, что огромное большинство молодых евреев XX в. (среди них и наши

---

* Кроме трансформации духа верующих греко-византийская икона наложила несомненный отпечаток на физический тип русского народа. Достаточно вспомнить выражение «византийское лицо», часто встречающееся в русской классической литературе.

родители), заточенных в гетто, симпатизировали идеям русской революции, революционный дух всегда присутствовал в еврейской крови. Если бы мы, члены группы АЛЕФ, жили в 1917 г., мы разделили бы судьбу еврейских большевистских комиссаров. Но нам суждено было жить в 70-е годы, и потому, научившись горькой правде на опыте наших родителей, мы стали диссидентами и подали прошения на выездную визу.

Как всегда, русские евреи были в центре всех прогрессивных движений и, как всегда, превращались в «козлов отпущения», когда властям это становилось выгодно. Вероятно, мы были счастливее наших родителей, которые часто платили жизнью за свои заблуждения.

Когда в середине 70-х родилось движение АЛЕФ, у нас было очень смутное представление о том, что такое еврейская культура и в особенности — еврейское изобразительное искусство. Самому младшему, Саше Манусову (он умер в 1990 г.), было тогда 28 лет. Только что окончивший советскую школу изобразительного искусства, что мог он знать о еврейском искусстве? Самый старший, Осип Сидлин, умерший в 63 года в 1972 г., возможно, что-то знал о еврейском искусстве, но он унес свои знания с собой. На протяжении нескольких лет он обучал своих студентов (одним из них был Анатолий Басин) в строго европейских традициях. Так что же мы знали? Мы знали о «безродных космополитах», об уничтожении еврейских писателей, о великом актере С. Михоэлсе, который был сбит грузовиком, о «деле врачей», о подготовке организованной отправки евреев в Сибирь.

Наше представление о еврейской культуре было сложным: оно было комбинацией ассиро-вавилонской культуры, руин Массады, катакомб Виллы Торлония. Через русскую икону мы смогли увидеть Византию, а через Византию — фрески синагог Дура-Еропос и Бет Алфа. С нашим простодушием мы приписали еврейской культуре лучшие, известные нам, достижения мировой культуры.

Наш групповой Манифест 1975 г. гласил:

1. Несколько еврейских художников Ленинграда объединились в попытке возродить еврейские древние и средневековые традиции в искусстве.
2. Эти традиции были напрочь забыты в России в течение 50 лет (со времени высылки за границу в 1925 г. еврейского театра «Габима»).
3. Вопреки распространенному мнению, изобразительное искусство было в высшей степени развито в древнем Израиле в связи с архитектурой иерусалимских храмов, а затем, позднее в росписях средневековых синагог в Палестине, оказавших через Византию влияние на европейское искусство, в испанской «мавританской» архитектуре, в рукописных памятниках и книгах, украшенных изысканными композициями из шрифтов и миниатюр, в культовой утвари, надгробных памятниках, ювелирных изделиях, одежде, орнаментах.
4. Нам хотелось бы перешагнуть через «узаконенное», так называемое «местечковое» искусство и найти истоки творчества в более древней, более

глубокой, мудрой и духовной еврейской культуре, чтобы перекинуть от нее мост в сегодняшний и завтрашний день.

(Манифест составлен А. РАПОПОРТОМ в 1975 г. для группы АЛЕФ, опубликован в статье Е. Сотниковой «Ленинградская выставка еврейских художников», Самиздат, 1976 г.).

После цитирования Манифеста Сотникова далее пишет, что это заявление спорное, и говорить о **еврейском** искусстве как таковом почти невозможно. Действительно, кем были Шагал, Сутин, Цадкин, Певзнер? Были ли они еврейскими художниками? Литовскими? Русскими? Французскими? Белорусы, если бы они того хотели, могли бы объявить Шагала своей национальной знаменитостью.

Давайте посмотрим пристальнее на произведения некоторых художников группы АЛЕФ.

ЕВГЕНИЙ АБЕЗГАУЗ, например, положил в основу своих работ русский лубок, происшедший от русских икон и западноевропейских рукописей XIII—XV вв.

АЛЕКСАНДР МАНУСОВ вышел из француза П. Сезанна, русского Р. Фалька и русских конструктивистов, которые черпали свои теории из русских икон.

В искусстве **АНАТОЛИЯ БАСИНА** прослеживаются черты наиболее важных европейских колористов XVII — начала XX вв., которые говорят сами за себя, а также влияние художников русского «Бубнового Валета».

Ассиро-вавилонские и ранние ренессансные фрески оказали воздействие на произведения **ТАНИ КОРНФЕЛД** и **АЛЕКА РАПОПОРТА**. «Подобно ранним русским модернистам, — говорит Руфь Рушин, — Корнфелд, Басин, Рапопорт обращаются к иконам и древним фрескам для экспрессивного моделирования человеческих фигур». («12 from the Soviet Underground», Catalogue, Berkeley, CA, 1976.)

«Реализм **ОКУНЯ** — тревожно сюрреалистический и экспрессионистский одновременно. В его крупных рельефах он странно смешан с традиционным построением иконы». («Soviets Leap Into Western Art», Jacqueline Hall, The Columbus Dispatch, 10-7-90.)

Очевидный отпечаток иконы и немецкого экспрессионизма определяют творчество **АЛЕКСАНДРА ГУРЕВИЧА**. Он черпает образы для своих «Библейских» акватинт и «Мастера и Маргариты» непосредственно из Ветхого и Нового Заветов.

РОЖДЕНИЕ ГРУППЫ АЛЕФ

После известной выставки 50 художников-нонконформистов в 1974 г. в ленинградском Дворце культуры им. Газа, которая положила начало новой эры в русском искусстве, я стал активным членом этого движения. Для участия в нашей следующей выставке 100 художников в Невском Дворце культуры в 1975 г. я лично разыскал и привлек несколько новых художников, среди которых были Е. Абезгауз и Ю. Календарев, которые работали над еврейскими темами.

В громадном Невском выставочном зале, заполненном сотнями восторженных посетителей, мы, будущие члены группы АЛЕФ, обнаружили, что наши работы оказались выставленными в одном и том же углу зала. Это было спонтанно отмечено другими художниками и зрителями как объединение «еврейской группы». Их реакции были обычно доброжелательными. Только славянофилы «Стерлиговской группы» выразили неудовольствие. Все мы одели значки в виде меноры, подчеркивающие нашу принадлежность к особой группе. Мелькнула идея — почему бы нам не организовать отдельную выставку «еврейских художников»? Здесь уместно сделать следующее замечание: быть в России художником было всегда почетно и уважаемо; быть нонконформистским художником было вызовом; быть нонконформистским еврейским художником было скандальной ситуацией.

С 21 по 28 ноября 1975 г. первая выставка ленинградских еврейских художников состоялась на квартире Е. Абезгауза. День открытия мы держали в тайне, опасаясь возможной конфискации картин. «Мы не можем гарантировать, что обойдется без **погрома**», — объявил местный представитель милиции. В течение восьми дней выставки четыре тысячи ленинградцев увидели 112 живописных, графических и скульптурных работ 12 художников. Надо добавить, что пятеро из них за участие в выставке были уволены с работы. В полном составе выставка была повторена в декабре 1975 г. в Москве.

Накануне открытия первой выставки кто-то сделал слайды с наших работ и немедленно тайно отправил их в США. Вскоре на основании этих слайдов в Беркли, Калифорния, был опубликован каталог «12 из советского подполья». Этот акт был частью политической деятельности уже упомянутой организации BACSJ. К сожалению, художественный уровень и некоторые факты были проигнорированы. Ко времени издания каталога наша группа приняла название АЛЕФ, а количество участников увеличилось в два раза. Я лично настоял на включении в группу нескольких ведущих художников Ленинграда не обязательно еврейского происхождения.*

Таким образом, существенно повысилось художественное качество выставок, и наши последующие показы в Москве и Ленинграде стали одновременно и политическими, и художественными событиями. Я уверен, что организаторы выставки «Creativity Under Duress» в Луисвилле, Кентукки, проделали громадную работу при подготовке выставки 1989 г., но я сожалею, что они пренебрегли моим советом и не включили несколько известных художников — членов АЛЕФ — в свою экспозицию. Мы могли бы тогда засвидетельствовать настоящий художественный праздник.**

---

* Среди прочих участников были евреи Шалом Шварц, Владимир Видерман, Борис Рабинович, Гарри Шапиро, полуеврейка Таня Кернер, русский Александр Арефьев, эстонец Ричард Васми.
** Еврейская община Луисвилла, воспроизводя выставку группы АЛЕФ, заплатила дань исторической важности группы и сделала благородный жест по отношению к художникам. До сих пор мы храним чувство очень теплого приема в Луисвилле. Без этого события мы, вероятно, все вместе никогда больше бы не встретились. Мы сердечно благодарны за это, в особенности Ms. Laurel Garron, а также всем тем учреждениям, которые предоставили нам возможность показать свои работы.

Невозможно переоценить исторической роли первой еврейской выставки, даже если она имела более политическое, чем художественное, значение. Она была громадным стимулом для еврейского политического и культурного движения в СССР. К тому же она стала примером для аналогичного движения среди художников других национальностей, живущих в СССР. Конечно, проведение наших выставок требовало особой смелости от художников и их семей.

Несмотря на жесточайшие преследования со стороны КГБ — аресты, принудительные выселения, угрозы, избиения, допросы в ночное время и даже (вероятно) убийство Евгения Рухина, нонконформистское выставочное движение 1970-х годов, в котором участвовала и группа АЛЕФ, имело громадный успех. Только в 1976 г. 100 тысяч зрителей посетили серии нонконформистских выставок в Москве.

В 1976 г. мы начали покидать Россию, уезжая на Запад и в Израиль.

ПЕРЕМЕЩЕНИЕ ХУДОЖНИКОВ ГРУППЫ АЛЕФ НА ЗАПАД. РАЗОЧАРОВАНИЕ

В 1976 г. я был готов к эмиграции. Со сравнительной легкостью получил выездную визу. Конечно, я причинил слишком много неприятностей властям. Они заклеймили меня одновременно фашистом, сионистом и христианином. Власти действительно хотели, чтобы нонконформистские художники эмигрировали, и выталкивали нас из страны.

За день до моего отъезда Окунь, Абезгауз и я сидели и обсуждали планы нашей группы в «свободном мире». Не приходится и говорить, что мы хотели продолжения совместной деятельности. Дети советского режима, мы были научены, что кулак сильнее пальца.

Начиная с 1976 г. из Рима и позднее из Сан-Франциско я пытался активизировать группу, связавшись с Абезгаузом и Окунем в Израиле, Корнфелд в Лос-Анжелесе, Арефьевым в Париже. Два американца, Регина Бублил-Волдман из BACSJ и Михаил Рукин из Берлингтона, Массачусетс, казалось, хотели помочь восстановить группу на Западе. Регина организовала тайный вывоз около 300 картин членов нашей группы, выполненный великолепным человеком Мишель Софиоз, а Михаил Рукин играл роль нашего представителя. Однако вывезенные картины испарились где-то между мадам Волдман и мистером Рукиным, которые обвиняли в этом один другого, а художники группы АЛЕФ больше никогда не увидели своих работ. Кстати, уже в Америке Регина сказала мне, что в Ленинград была отправлена денежная помощь, учитывая нужды членов группы: никто из моих друзей никогда не слышал о такой помощи. Распространились слухи и сплетни, и взаимное доверие членов группы пошатнулось. Но это — не главные детали.

Основная причина, по которой группа не смогла выжить, происходила из факта, что мы были вырваны из нашей привычной экологической ниши, где мы знали, с кем кооперировать и против кого бороться. На Западе мы были оторваны от нашей традиционной культуры, от нашего родного изобразительного языка. Здесь мы наткнулись на барьер между художником и зрителем и встретились с разъединенным безразличным окружением. Только в США 400 тысяч художников ведут жалкую жизнь, лишенные всяких прав и подвергающиеся всем испытаниям, потому что действующие мафии подобные организации продавцов искусства и средства массовой информации правят и определяют художественный рынок, который является единственным критерием успеха.

В 1970-е годы, после пересечения советской границы в поисках свободы, мы, русские художники, заметили, что мы никому не интересны, кроме политических активистов. Некоторые газеты и телевидение упомянули про нас, кое-кто был проинтервьюирован, но это быстро заглохло. «Они потешились нами, но вскоре мы им наскучили», — сказал один русский художник-беженец. Действительно, американские галереи не принимали вновь прибывших художников. «Вы русский художник? Идите в Русский Центр». «Вы еврейский художник? Идите в синагогу». Миф о том, что искусство расцветает на Западе, был частью большого общего мифа о том, что можно найти рай на Западе, и этот миф до сих пор жив в России. Когда в 1960—1970-е годы в России происходил духовный и формальный рост в искусстве, мы можем говорить только об изобретательном и технологическом росте американского искусства. До 1980-х годов американцы в целом были безразличны к 1000-летней культуре России — ее основе и стилям потому, что после Второй мировой войны Америка рассматривала себя как верховный культурный центр и не интересовалась «провинциальными культурами». Освобождение от европейских уз сделало американское искусство свободным, но поставило его под власть деспотического волюнтаризма и привело к потере критериев.

Реакция и американских зрителей, и средств информации свидетельствует об отсутствии понимания художников группы АЛЕФ, художественный уровень творчества которых неравен. Самый повествовательный художник Абегауз приобрел наибольшую популярность. Наиболее зрелый художник, мастер стиля, Басин остался незамеченным. Наиболее сложные художники с полисемантическим искусством, как Окунь или я, пробудили растерянность. Наиболее нефигуративные художники, Болмат и Шмуйлович, получили высшие похвалы, так как они якобы приблизились к «западным стандартам».

Мое личное соприкосновение с современным западным искусством, в особенности с американским, оказалось горьким разочарованием. Я был поражен его надуманностью, коммерциализмом и, что еще чувствительнее для русского художника, его нарочитым, паническим отдалением от духовных и человеческих ценностей. Моноцентризм (монотеизм, монизм и т.д.) культивировался в России веками. Хотя он и принес много бедствий, но сохранил уникальную идею о том, что миссия искусства заключается в преобразовании зрителя. Он определил, что есть большое, а что малое; что традиционно, а что нет; что важно, а что мелко.

Эта четкая шкала ценностей и критериев, которую художники АЛЕФ привезли на Запад, не ценится в современном западном обществе. Вот почему типичный художник — пришелец из России — обречен на провал, если он не предает свои принципы или не обладает способностью меняться, как хамелеон.

Владимир Янкилевский, известный московский художник, после неудачной продажи на аукционе «Hapsburg/Feldman» сказал: «... я сейчас подумываю скорее отменить выставку в галерее Э. Нахамкина, чем делать коммерческие работы, на которые, я чувствую, галерея рассчитывает. Это — ужасный, самый бесстыдный в мире рынок». Зажатый между советской политикой и западным рынком, художник не может иметь выбора. «Борьба за власть в Сов. Союзе оказывает большое давление. Там — борьба за власть. Здесь — борьба за рынок, — вздохнул Янкилевский, — лучшее место для работы — на небе, в самолете». (Amy Gamerhman. Soviet Artist in America:Toiling for Dollars. The Wall St.Journal, 6-12-90.) Что касается меня, я затрудняюсь сказать, чье давление сильнее — советской идеологии или художественного рынка.

По иронии судьбы, в 1990-х годах сотни советских художников всеми силами старались выставлять и продавать свои работы на Западе так же, как их бывшие соотечественники, покинувшие Советский Союз 10—15 лет назад, стремились выставить свое искусство в Ленинграде или Москве, чтобы еще раз просто почувствовать давно потерянное чувство расположения, эмоциональной связи и признания.

Искусственно возрожденная силой американского доллара, передвижная выставка АЛЕФ в 1989 г. в Луисвилле, Кентукки, была забавным историческим инцидентом. Группа не существует. Устроен приятный похоронный банкет. История АЛЕФ демонстрирует изменчивость и насмешку артистической судьбы художника. В Луисвилле выставка получила название «Creativity Under Duress: from GULAG to Glasnost (Творчество под давлением: от ГУЛАГа до Гласности)», хотя название должно было быть «Творчество под давлением: от ГУЛАГа до Капиталистического Рынка».

Тем не менее, с моей сегодняшней точки зрения, я отношусь к группе АЛЕФ в период ее высшего подъема в 1970-х годах как к единому целому, произведенному Русским Искусством и принадлежащему ему как части общей Иудео-Христианской Культуры.

БЕГЛЫЙ ВЗГЛЯД НА МОЕ ИСКУССТВО НА ЗАПАДЕ

«Любому заметно драматическое осознание еврейского мира в работах Рапопорта (Е. Сотникова. «Ленинградская выставка еврейских художников», Самиздат, 1976). Действительно, в течение 10 лет (с 1966 по 1976 годы) в моем творчестве доминировали библейские образы пророческого назначения. Некоторые названия моих работ этого периода — «Левит», «Числа», «Иерихонская труба», «Даниил», серия «Пророков» и т.д. — дают некоторое представление. Однако для первой еврейской выставки я выбрал работу «Иисус Христос и самарянка», которая поддерживает идею избранности народа Израиля. Я чувствовал уместным показать эту тему в основном не еврейским посетителям выставки как символ единства иудео-христианской культуры.

В СССР я добровольно, последовательно и горячо культивировал себя в качестве еврейского художника и, как таковой, приобрел известность. На Западе я осознал свою принадлежность к более содержательной еврейско-христианской культуре. К тому же меня не вдохновила американско-еврейская культура по шаблону «Скрипач на крыше».

Представляется, что эмиграция была **навязана** многим из русско-еврейских художников. Мы не нашли здесь обещанного рая — мы нашли изгнание. Никто не жалеет о потере советского режима, но все тоскуют по творческой атмосфере и дружелюбной поддержке, окружавшей художников в 1960—1970-е годы.

Тем не менее я пытался построить культурный мост с американской публикой и преуспел в приобретении некоторых друзей и покровителей. Так, Роберт Рейнолдс, сан-франциссский специалист по французской культуре, заметил мое «качество свежести», «открытость к новым ситуациям». «И помните, — писал он, — что Вы прибыли сюда (США) не в поисках цивилизации, а неся ее. Вы — цивилизация. Вы обязаны давать, потому что у Вас есть нечто особое, что Вы можете дать». Пол Куин, художник: «Я бы хотел укрепить Ваше мужество, чтобы Вы не прекращали создавать то, что Вы создаете в живописи и графике. Это — прекрасные работы. Я знаю, что нелегко Вам, пришельцу, попасть в это странное, подчас враждебное место и продолжать работать, сохраняя свои, но чуждые здесь традиции. И я благодарю Вас за то, что Вы продолжаете».

В Сан-Франциско, где я живу с 1977 г., меня привлекли мощь калифорнийских просторов, скорости, прозрачно-призрачный свет. Образы этого интернационального города очаровали меня и стали одной из тем моего искусства. С 1986 г. я был связан с одной из лучших галерей Сан-Франциско «Michael Dunev Gallery».

Теперь в моей живописи прослеживаются три главные темы:
1. Религия и мифология.
2. Городские образы Сан-Франциско.
3. Портреты.

В своих работах я пытаюсь сохранить и восстановить онтологические и человеческие ценности искусства, утраченные в основном за последние 70 лет. В поисках этих ценностей я вновь и вновь обращаюсь к нашим великим учителям — Старым Мастерам Искусства, вышедшим из колыбели человечества — Средиземноморья, где в самом начале западной цивилизации родилось искусство изобразительных образов; искусство, в котором Божественный Дух и Человек вместе служили мерой всех вещей и установили единство и неразрывность Мира.

Сан-Франциско

Апрель, 1991 год

Ирина РАПОПОРТ
ПРИЛОЖЕНИЕ I

К ДВИЖЕНИЮ ЕВРЕЙСКИХ ХУДОЖНИКОВ ЛЕНИНГРАДА

(Группа «АЛЕФ» — «12 из советского подполья», 1975 — 1976 годы)

1

TWELVE FROM THE SOVIET UNDERGROUND

A DOCUMENTARY PHOTO EXHIBIT OF PAINTINGS AND SCULPTURE
BY JEWISH ARTISTS FROM THE SHOW OPENED
IN A LENINGRAD APARTMENT IN NOVEMBER 1975.

MAGNES MUSEUM MAY 2 – JUNE 2, 1976
2911 RUSSELL STREET, BERKELEY
SUNDAYS THROUGH FRIDAYS, 10-4

2

3

4

5

6

CREATIVITY
UNDER
DURESS
from Gulag to Glasnost

7

Creativity Under Duress

9/89

8

В 21-й век это движение вошло как историко-культурный феномен деятельности художников-нонконформистов Ленинграда 1970-х годов. Хочется, чтобы информация о нем была лишена обидных ошибок, когда, за давностью лет, некоторые факты забылись, другие исказились сознательно. Поскольку появились художники, которые, не имея на то никаких оснований, причисляют себя к движению еврейских художников Ленинграда 1975 — 1976 годов, я бы хотела с помощью фотографий уточнить состав участников трех выставок, состоявшихся в СССР, и четвертой — в США.

Первая выставка еврейских художников была показана в Ленинграде, на проспекте Стачек, в квартире художника-отказника Е. Абезгауза с 21 по 28 ноября 1975 г.

Эта выставка сразу стала известна в Америке благодаря деятельности BACSJ (Американского комитета борьбы за советское еврейство, Сан-Франциско), активистки которого вывезли в США работы этой выставки в виде слайдов, фотографий и нескольких оригиналов. В Америке были сделаны высококачественные репродукции, и 1 мая 1976 г. известный писатель Эли Визель торжественно открыл в Музее имени Иегуды Магнеса (Judah L. Magnes Memorial Museum) в университетском городке Беркли (Berkeley, CA) выставку «12 from the Soviet Underground». К этой выставке был издан каталог (фото 1) с фотографией участников (фото 2). Привожу их список:

1. Е. Абезгауз
2. Ю. Календарев
3. А. Манусов
4. Т. Корнфелд
5. А. Гуревич
6. О. Шмуйлович
7. А. Басин
8. А. Окунь
9. А. Рапопорт
10. С. Островский

Два участника — Л. Болмат и О. Сидлин (выставленный посмертно) на фотографии отсутствуют.

[В последующие годы выставка в этом же составе объездила больше 20 городов Америки и Канады. Несколько раз ее сопровождал лекциями Алек Рапопорт, эмигрировавший в 1976 г. в Сан-Франциско].

Вторая выставка ленинградских еврейских художников в расширенном составе прошла 12 — 21 декабря 1975 г. в Москве, на Рождественском Бульваре, в квартире фотографа В. Сычева. (Фото 3, слева направо): в заднем ряду — А. Манусов, В. Видерман, А. Рапопорт, А. Гуревич; в переднем ряду — Т. Корнфелд, Е. Абезгауз. (Фото 4, слева направо): в заднем ряду — Ю. Календарев, А. Манусов, В. Видерман, А. Рапопорт, А. Гуревич; в переднем ряду — Т. Корнфелд, Е. Абезгауз,

А. Арефьев. (Фото 5, слева направо): Т. Корнфелд, Ю. Календарев, дочь Сычевых, А. Манусов, В. Видерман, А. Рапопорт, А. Гуревич, А. Арефьев, Е. Абезгауз.

Как вспоминал А. Рапопорт, первым «неевреем» был А. Арефьев, которого А. Рапопорт пригласил, «пробив с трудом брешь в «национальных чувствах» Е. Абезгауза и Ю. Календарева». Затем к движению примкнул эстонец Р. Васми, и начали выставлять (посмертно) работы Т. Кернер, художницы полуеврейского происхождения.

Третья выставка состоялась, как и первая, в Ленинграде, на квартире Е. Абезгауза, 3 — 12 июня 1976 г. Приблизительно в это время была сделана фотография основного состава участников группы из 16 художников (фото 6). К сожалению, на ней отсутствуют фотографии В. Видермана и Б. Рабиновича, присоединившихся к движению.

С этого же времени группа получила название **АЛЕФ**. Название произошло от первой буквы иврита, которая означает «начало», так как это движение и было **началом** после длительного перерыва. Ведь последняя выставка, посвященная еврейской культуре, была проведена в 1939 г. в Музее этнографии в Ленинграде и называлась «Евреи в царской России и в СССР».

Об успехах (можно сказать, триумфальных) этих выставок написано много. Общеизвестно и о последующих карах властей — увольнения с работы, лишения мастерских, отключение телефонов, воды и света, ночные вызовы в КГБ, домашние аресты, угрозы в различной форме.

В это время усиливается медленное и тупое, но неуклонное давление властей, сведшее общее движение художников-нонконформистов на нет, а еврейских художников подвинувшее к эмиграции.

В октябре 1976 г. А. Рапопорт с женой и сыном эмигрировал в США. На эмигрантском пути, в Риме, он был приглашен сделать телевизионное выступление в программе «Источники Жизни» («Sorgente di Vita»). Выступление переводилось синхронно на итальянский язык и сопровождалось показом слайдов. Я привожу (см. Приложение II) весь текст этого нигде не опубликованного выступления, поскольку значительная его часть касается движения ленинградских еврейских художников.

Четвертая выставка. В 1989 г., спустя 14 лет после первой ленинградской выставки еврейских художников, произошло ее чудесное воскрешение. По инициативе сотрудниц Института Интернационального Взаимопонимания («Institute for Unercultural Understanding») в Луисвилле (Кентукки) была организована встреча группы АЛЕФ, сопровождаемая выставкой работ под названием «Творчество под принуждением, от ГУЛАГа до Гласности» («Creativity Under Duress, from Gulag to Glasnost»). К выставке был издан каталог с одноименным названием (фото 7). Выставка была размещена в старейшем здании города «Water Tower», переоборудованном в Галерею. На ее открытии 10 сентября 1989 г. было зачитано поздравительное приветствие президента США Буша.

Трудно описать, но легко представить, сколько радости доставила художникам, прошедшим такой трудный и рискованный путь, а теперь собравшимся из разных стран мира, эта встреча. В состав этой четвертой выставки вошли следующие художники группы АЛЕФ (фото 8, слева направо):

1. Е. Абезгауз
2. Ю. Календарев
3. А. Манусов
4. А. Гуревич
5. Т. Корнфелд
6. Л. Болмат (сидит)
7. О. Шмуйлович
8. А. Басин
9. А. Окунь
10. А. Рапопорт
11. С. Островский

В статье Р. Соловьевой и А. Манусова «Снова АЛЕФ» (журнал «ВЕК» 2/5/,90, Рига, Латвия, стр. 49) авторы написали: «Время ничего не изменило. Все тем же общим любимцем остался Алек Рапопорт с его кротостью и принципиальностью».

Я кратко привела главные факты движения ленинградских еврейских художников; движения, которое должно сохраниться в истории нонконформистского искусства 1970-х годов как свидетельство смелого и независимого выражения художественных сил в условиях беспросветного застоя и тоталитарной цензурной системы.

Ирина РАПОПОРТ

Сан-Франциско

2001 год

Алек РАПОПОРТ
ПРИЛОЖЕНИЕ II

Выступление в TRANSMISSIONE TELEVISIVA «SORGENTE DI VITA»
(«Источники Жизни»), 4 марта 1977 г., Рим.

1-й вопрос: В чем состоит особенность участников группы АЛЕФ?

Ответ: Все движение художественного авангарда последних лет явилось проявлением общего возрождения духовной жизни в России. Что касается появления группы АЛЕФ, то это обусловлено двойной реакцией: на засилье социалистического реализма в искусстве с одной стороны, и на русофильство и шовинизм в разном проявлении — с другой.

В качестве примера я расскажу следующее: когда некоторое время назад в Ленинграде открылась официальная выставка «Портрет в русском искусстве», то через два дня после открытия из экспозиции были удалены уже включенные в каталог работы М. Шагала «Красный еврей» и «Мои родители» Р. Фалька.

Когда была посмертная выставка Натана Альтмана, не было ни афиш, ни каталога, выставка игнорировалась и замалчивалась правлением Союза Художников СССР.

Всем известны литографии Анатолия Каплана на еврейскую тему. Но эти литографии увидели свет только благодаря некоему американскому бизнесмену, который кинул властям крупный куш валюты, лично был допущен в святая святых — печатную мастерскую, — охраняемую вооруженной охраной (ведь в СССР печатать на станке можно только по разрешению Горлита, через Союз Художников СССР), и там под его эгидой были созданы эти литографии.

Когда я в свое время хотел поступить в Союз Художников и показывал свои работы на еврейскую тематику, мне было сказано: «Нам достаточно Альтмана и Каплана». Невозможность реализовать себя как еврейских художников и побудило нас объединиться в 1975 г. в группу АЛЕФ.

2-й вопрос: Каково отношение властей к художникам-нонконформистам?

Ответ: Прежде всего что такое художник-конформист? Это, большей частью, выпускник художественного вуза при Академии Художеств СССР, т.е. человек, проверенный в смысле лояльности. Он почти автоматически поступает в Союз Художников, возглавляемый его же профессорами. А СХ — это кормушка, некий «денежный пирог». Это — гарантированная зарплата, это творческие дачи, это договоры на ненаписанные картины, большей частью, на советскую тематику. СХ СССР — это организация, искусственно созданная как один из идеологических отрядов КПСС, т.е. висящая тяжелым грузом на шее государства, развращенная огромными субсидиями, взяточничеством и продажностью.

Как-то пару лет назад в Ленинград приезжал Марк Шагал. Он посетил отделение СХ, где когда-то сам состоял. В это время как раз правление СХ получило очередную денежную подачку и было занято ее дележом. Ни один человек не вышел, чтобы поприветствовать великого художника!

Что такое СХ, видно из следующих фактов. Весь мир знает художника Татлина. За нонконформизм он был изгнан из СХ еще в 30-е годы и закончил свою жизнь в нищете, работая макетчиком. Знаменитый русский художник П. Филонов за нонконформизм в годы ленинградской блокады был лишен Правлением СХ продовольственных карточек и умер от голода. Были случаи и прямого физического уничтожения. Те же хорошие мастера, которые как-то приспосабливаются к Союзу, развращаются двойственностью своего положения: для Союза — одно, для дома — другое.

Нонконформизм существовал всегда в СССР. Если при Сталине это был вопрос стиля и тематики, то сегодняшний нонконформизм — это вопрос сотрудничества или несотрудничества с властями, которые, как огня, боятся любых неуправляемых процессов. Всего три темы запрещены цензурой выставок: антисоветская, религиозная, порнографическая. Впрочем, эти запреты можно толковать как угодно широко. Например, вот этот портрет сына не был принят на официальную выставку, т.к., по словам одного критика, у него «что-то несоветское во взгляде».

По сути же, с моей точки зрения, нонконформистами являются художники, в работах которых наличествует духовность и метафизичность. Я думаю, что такой художник, как Пиранделло, например, мог бы с успехом быть членом СХ СССР.

В 1974 г. бульдозеры КГБ расчистили место для функционирования выставок нонконформистов, которые длились два года. Это была уступка Западу. Одной рукой выставки разрешались, а другой преследовались. Власти играли нами, как кошка с мышкой. Каждая выставка, каждая поездка, каждый шаг художников контролировался КГБ. Вплоть до того, что посетителей выставок фотографировали и преследовали по месту работы.

Вот почти хроникальное описание того, как протекала одна из квартирных выставок ленинградских нонконформистов в феврале 1975 г. на Большой Садовой, 10, в Москве. В 10 часов утра выставка открылась, и сразу установилась большая очередь зрителей. Но уже в 11 часов пришли дружинники с вопросами о причине скопления народа. Затем появились представители Мосгорисполкома с требованием немедленно закрыть выставку. В 12 часов у дверей дома был установлен милицейский пост, действовавший, как клапан: людей с выставки только выпускали, отводили в пункт КГБ, организованный тут же во дворе, в помещении мастерской металлоизделий, допрашивали и отпускали (кстати, в этой «мастерской металлоизделий» затем побывал и я. Там было человек 30 — гебисты, милиция, дружинники. Установлена радиоаппаратура и штук 5 телефонов). К 14 часам зрителей на выставке уже не было. В квартире перестает работать телефон, к наружным стенам со стороны двора и лестничной клетки прикрепляют подслушивающие устройства. Со двора через мегафон нам зачитывают постановление техника-смотрителя зданий о нарушении нами общественного порядка и о жалобах жильцов. Постановление заканчивается требованием покинуть Москву в 24 часа.

В 9 утра следующего дня через мегафон выдвигается требование покинуть Москву в течение 6 часов. К этому времени число участников выставки сократилось, т.к. ушедших за едой и т.п. обратно не пускали. В 12 часов нам выдвигают ультиматум покинуть Москву в течение 3 часов. В противном случае угрожают погрузить нас в фургоны и вывезти на 50 км за пределы Москвы. К 15 часам в числе пяти оставшихся участников мы покидаем помещение. Проходим через «мастерскую металлоизделий», где регистрируют наши паспорта, и каждый в сопровождении агента КГБ следует на вокзал.

Под наблюдением молодого человека спортивного типа я покупаю в кассе билет и устало опускаюсь на скамью в зале ожидания. Через некоторое время мой сопровождающий исчезает, а я... сдаю билет и возвращаюсь в город, т.к. мне нужно было встретиться с одним французом-покупателем. Но по выходе из телефонной будки меня уже ждал другой **мой** человек, который сказал: «Что ж, поехали на вокзал».

Мы сели в поезд, и он довез меня до самого Ленинграда, к счастью, не убив и не отравив. А вот одного моего коллегу сделали калекой, налив ему в поезде в обувь иприт, после чего он три месяца лежал в больнице.

Но особенно власти были озлоблены, когда организовалась первая выставка нонконформистов-евреев. За участие в такой выставке в ноябре 1975 г. в Ленинграде пять человек были уволены с работы, имели место аресты «за нарушение общественного порядка», некоторых лишили мастерских или отключили в них отопление и свет. Власти пытались организовать жильцов дома, где проводилась выставка, на выступления против «хулиганов». «Мы не можем гарантировать, что не произойдет погрома», — заявил начальник районного отделения милиции.

Апогея преследования властей достигли летом прошлого года. Это ознаменовалось трагическим убийством художника Е. Рухина и многочисленными арестами и допросами. Лично меня ночью увозили на допрос в КГБ и дважды подвергали домашнему аресту по 10 суток.

На сегодняшний день движение нонконформистов разгромлено, т.е. ушло в подполье, а деятельность группы АЛЕФ, как части общего движения, на территории СССР прекратилась. Я говорю «на территории СССР», т.к. примерно половина группы эмигрировала.

3-й вопрос: Как художники — участники еврейских выставок получали информацию о еврейском искусстве?

Ответ: Получение какой-либо информации в СССР затруднено вообще. Недавно здесь, в Риме, мне нужно было посмотреть гравюры Мантеньи. Я попросил их в хранилище эстампов, и через пять минут мне их дали на руки. Это абсолютно невозможно для СССР. Если бы я обратился там с аналогичной просьбой, прошел бы месяц переговоров и бумажной волокиты, да и то неизвестно, дали ли бы.

Только в художественной библиотеке я мог получить Библию — основной источник сведений о еврействе, — выдаваемую благодаря иллюстрациям Доре. Купить же Библию почти невозможно. Кое-какое знакомство с еврейской культурой может быть через посещение публичных библиотек в больших городах. Другой путь — посещение южных городов, где еще сохранилось очень мало старых евреев и еще меньше синагог. В Черновцах, например, есть полуразрушенная маленькая синагога с остатками прекрасных росписей.

Алек РАПОПОРТ

Рим

4 марта 1977 года

7

ТРИ ВСТРЕЧИ С КОМАРОМ И МЕЛАМИДОМ,
ИЛИ ФЕНОМЕН КМ

В классицистической картине Давида «Клятва Горациев» (1784) три сына Горация в тройном и едином порыве вытянутых рук клянутся отцу вернуться домой со щитом или на щите. Риторический анекдот, к которому обращается художник, увлечение социальными идеями, как говорили искусствоведы, привело Давида (забывшего уроки и античности, и Ренессанса, и барокко и ставшего официальным художником благодаря покровительству Наполеона) к холодности и выспренности стиля.

И вот через двести лет художники Комар и Меламид (КМ), не имеющие и доли знаний Давида об античности или Ренессансе, также обращаются к стилю классицизма и также обращаются к театрализованному и политизированному анекдоту. Но Давид умеет компоновать и рисовать — КМ не умеют (1). Давид вдохновлен высоким революционным пафосом — КМ вдохновлены лишь желанием сделать себе рекламу, громко заявить о себе. Давиду покровительствовал Консул Французской Республики Наполеон — КМ покровительствует галерейщик Фельдман.

ПЕРВАЯ ВСТРЕЧА С КМ. «ФЕНОМЕН КМ»

Обращаясь к московской художественной жизни конца 50-х — 70-х годов, можно припомнить своеобразное разделение преуспевающей художественной элиты на две группы: обслуживающую власти и обслуживающую дипкорпус. Вторая группа — вначале невольно, а затем и умышленно — участвовала в различных скандальных ситуациях, наживая на этом политический и финансовый капитал. Если выставка 1962 г. в Манеже, где Хрущев громил авангардистов, была организована властями и соцреалистами «справа», то «бульдозерная выставка» была задумана самими художниками «слева». Это была одна из первых акций-перформансов, вызвавших международный скандал и сделавших имя большой группе московских левых. Среди них можно назвать Виталия Комара и Александра Меламида, о которых В. Паперный и Е. Компанеец говорят: «Это, может быть, единственные из уехавших художников, которые с самого начала поняли, как функционирует западный художественный рынок, и начали профессионально готовиться к отъезду». Слово «профессионально» не следует толковать в художественном плане, авторы далее пишут: «В условиях современного рынка наличие доброкачественного товара отнюдь не гарантирует его успешного сбыта. Успешная продажа — это нужный товар, нужным образом поданный, в нужном месте и в нужное время.

Когда после «бульдозерной» выставки в западных газетах стали появляться фотографии работ нонконформистов, ими на 90% оказались произведения Комара—Меламида. Произошло это не потому, что редакции предпочли эти работы по эстетическим или идеологическим соображениям, а просто потому, что других в наличии не оказалось. В течение нескольких месяцев, предшествовавших выставке, Комар и Меламид планомерно переправляли за границу фотографии своих работ, пользуясь для этого всеми доступными им способами — через корреспондентов, дипломатов, туристов, а иногда даже открытой почтой. Акция была проведена настолько блистательно, что ее саму следовало бы объявить «хэппеннингом», «перформансом» или произведением концептуального искусства.

Из всех художников-эмигрантов «третьей волны» Комар и Меламид добились, может быть, самой большой славы на Западе...

Творчество Комара и Меламида строится на сложной рефлексивной игре. Их «ранг рефлексии» (термин В. Лефевра), пожалуй, выше, чем у кого бы то ни было из современных художников (2).

В 1975 или 1976 г. мне пришлось увидеть работы КМ на одной из московских картинных выставок. Чем же они торговали в те годы? Товар их представлял тогда набор слегка разнящихся по размеру чистых белых холстов, несущих на раме маленькие таблички: «Князь Всеволод Юрьевич Большое Гнездо», «Князья такие-то», «Группа князей таких-то» и т.п. Грунтованный холст был неплохой, этикетки тоже сделаны аккуратно. Очевидно, это и была «сложная рефлексивная игра», малодоступная большинству московских зрителей. Не думаю, что эта «игра» была доступна иностранцам, но последние смыслили в политике и торговле.

Паперный и Компанеец точно характеризуют то, что делают КМ, словом «акции». Семантически слово «акция» имеет два главных значения: это действие, предпринимаемое для достижения какой-либо цели, и это ценная бумага, приносящая прибыль. КМ — представители нового поколения художников-бизнесменов, которые используют искусство исключительно для продвижения и обогащения. «Феномен КМ» есть отражение общего явления в искусстве конца XX века, когда живопись, т.е. живое описание жизни не требуется, а следовательно, не требуется умение компоновать, рисовать, писать красками. Даже лучше, если бы изображать вообще ничего не требовалось бы. Требуется лишь изобретать, внедряться в mass media любым путем, еще лучше стать частью mass media, что КМ и другие современные художники делают значительной частью своих акций, используя тексты, видеозаписи, лекции, перформансы. Пластические изобразительные возможности 2-мерного и 3-мерного пространства не устраивают таких людей — и не только потому, что они недостаточно знают об этих возможностях, но прежде всего потому, что аудитория, к которой они обращаются за успехом и деньгами, это аудитория низкого уровня, полностью порабощенная телевизионно-газетной пропагандой, всегда падкая на скандалы и анекдоты, те, кого Цветаева называла «глотатели пустот, читатели газет». В этой среде ни художники-дельцы, ни мафия художественных дельцов не заинтересованы ни в чем ином, кроме как в потакании низменному вкусу толпы.

ВТОРАЯ ВСТРЕЧА С КМ. ЗАГРЯЗНЕНИЕ МОРАЛЬНОЙ СРЕДЫ

Моя вторая встреча с деятельностью КМ состоялась в сан-франциссском книжном магазине Б. Далтон в 1980 г., где ими среди посетителей магазина была распространена следующая анкета:

КОРПОРАЦИЯ КОМАР И МЕЛАМИД
Нью-Йорк, штат Нью-Йорк
Я (фамилия, имя, отчество) официально поручаю продажу моей бессмертной души Корпорации Комара и Меламида на срок 5 лет за ___ долларов. Я обязуюсь уплатить вышеназванной Корпорации 50% комиссионных, когда продажа состоится.
Подпись_____
Адрес_____
Дата и место рождения_____
Свидетель_____
Дата_____

Реакция сан-францисканцев, привыкших и не к таким финтам, на эту анкету мне неизвестна. Скорее всего, никакой реакции не было. Ниже следует мое письмо КМ, написанное прямо на их анкете, и их ответ мне.

1 окт. 1980 г.
Господа, когда я сталкивался с вашими акциями в Москве, это, возможно, было уместно на фоне унылого советского болота. В Америке, где утеряны критерии, что есть искусство, а что нет, подобные акции усугубляют путаницу и взаимонепонимание между людьми. Впрочем, может быть, это вовсе не из области искусства? Тогда прошу меня извинить и поздравить с изобретением нового трюка. Просто ради забавы.
Искренне, Алек Рапопорт.

7 окт. 1980 г.
Дорогой Алек Рапопорт, наша Корпорация пользуется случаем выразить свою глубокую признательность за Ваш своевременный отклик и участие в нашей деятельности, равно как и за высказанные Вами соображения, продиктованные очевидным намерением содействовать разрешению ряда волнующих нас всех проблем. Особого внимания заслуживает тот факт, что хотя и своеобразное, но все-таки заполнение нашего стандартного бланка Вы предпочли обыкновенному письму.
К сожалению, Корпорация не располагает достаточными основаниями, чтобы счесть свою деятельность «усугубляющей путаницу и взаимонепонимание между людьми», хотя Ваше заполнение нашего стандартного бланка заставляет признать, что в данном конкретном случае Вы правы. О чем, как не о взаимонепонимании и не о путанице, свидетельствует тот факт, что в графу «$» Вы вписали: «подобные акции

усугубляют» (?), а в графе «фамилия, имя, отчество» мы с удивлением прочли: «В Америке, где утеряны критерии, что есть искусство» (?)

Пожалуйста, не подумайте, что мы — юродствующие бюрократы и придирчивые формалисты. Нам действительно и совершенно серьезно непонятно:

1. Утеряны ли известные Вам критерии всей Америкой или только некой частью населения, не входящих в число Ваших единомышленников?

2. Предполагает ли Ваше утверждение существование некой иной страны или некого иного мира, где эти критерии не утеряны?

а) Если — нет, то почему Вы написали не «в этом мире», а «в Америке», что доказывает Ваше знакомство с иной страной и иным народом?

б) Если — да, то всеми ли они там не утеряны, или только определенной частью народа этой известной Вам страны они не утеряны?

в) Как подсчитать — где не утерявших эти критерии людей больше, в Америке или в ином известном Вам месте?

Корпорация была бы весьма Вам признательна за возможно более скорый ответ на мучающие нас вышеперечисленные вопросы. Поверьте, что мы не менее Вас страдаем от «усугубления путаницы и взаимонепонимания между людьми», но, увы, все известные нам попытки упростить эту всегда существовавшую неразбериху приводят на практике, пользуясь Вашим выражением, к «унылому болоту», где «путаницы и взаимонепонимания между людьми», очевидно, значительно меньше, чем в Америке. Что поделаешь — от неразберихи не соскучишься, «путаница» — это одна из действенных альтернатив «унылому».

В заключение разрешите особенно поблагодарить Вас за поздравление «с изобретением нового трюка». Наша всем известная скромность не позволяет сравнить это поздравление с теми поздравлениями, которые адресовались изобретателям других значительно более важных для истории искусства трюков. Тем более что известные явления, в известное время считающиеся искусством (например, ложь иллюзорной перспективы), в иное время (например, время средневековой иконы или время модернизма начала этого века) считаются трюками. В своем скромном признании исторической относительности критериев, позволяющих отличать трюк от искусства, мы не одиноки. Ваш вопрос: «Впрочем, может быть, это вовсе не из области искусства?» — скромное признание того, что эти критерии утрачены не только нами и американцами, но и теми, кому ведомы пути устранения «путаницы и взаимонепонимания между людьми».

Еще раз благодарим Вас за отклик, равно как и за ожидаемые ответы на вышеперечисленные вопросы, т.к. вся документация, связанная с нашей Корпорацией: финансовые отчеты, деловая переписка, жалобы, замечания, предложения, равно и изложение причин, по которым то или иное лицо отказалось продать или поставить на комиссию свою душу и т.д. и т.п., мы намерены выставить на всеобщее обозрение в целях поощрения всеобщего произрастания там и сям наблюдающейся действительности.

Искренне, КМ.

Остроумный ответ КМ носит характер того, что в теории информации называется «взбалтывание тезауруса», а на простом языке — переливанием из пустого в порожнее. Конечно, КМ правы, признавая, что открытие или отрицание иллюзорной перспективы важнее для истории искусства, чем их трюк с покупкой и продажей душ, который, признаться, не изобретен — позаимствован ими. Иллюзорную перспективу никто, кроме КМ, трюком не считал. Она была отражением мировоззрения, культуры, науки и философии целого пласта европейской истории, итальянской в частности, — и я никогда не слышал, чтобы мастера средневековой иконы, жившие до открытия иллюзорной перспективы, считали бы ее трюком, равно как я никогда не слыхал, чтобы мастера времен модернизма считали эту перспективу трюком, даже отрицая ее.

И, конечно, я не являюсь открывателем рецептов «устранения путаницы и взаимонепонимания между людьми», откровения эти были даны людям тысячелетия назад и известны КМ как людям начитанным. Поэтому я не верю в их «страдания от усугубления путаницы и взаимонепонимания», тем более что они тут же декларируют хвалу неразберихе. Беда не только в том, что КМ забыли популярную оперу «Фауст», где наглядно показано, к чему приводит торговля душами, — беда в том, что они, как и многие современные художники, эксплуатируют все возможные средства для достижения успеха, не считаясь с моральным уроном, наносимым обществу, с загрязнением моральной среды, которое не менее опасно, чем загрязнение биологической среды, и является частью общеэкологической катастрофы. «300 лет европейской аморальности» (А. Солженицын) еще не осознаны достаточно.

Паперный и Компанеец говорят, что КМ «заставляют американскую публику проглотить лактионовский академизм» (3), Б. Гройс (4) же называет их работы «живописью». И правда, в отличие от более молодых и более «модернизированных» художников, Ю. Шнабеля например, они все еще что-то компонуют, рисуют и пишут, но их несколько самодеятельному искусству не под силу лактионовский рисунок, а живопись их близка к уровню панно пионерских лагерей. Художники, претендующие на академическую технику Давида или Энгра, должны были бы хоть как-то приблизиться к ней (как сумел, скажем, приблизиться Карло Мариани и еще несколько художников-неоклассицистов 70-х — 80-х годов), но они лишь делают вид, что работают в классицистической манере, чем, в свою очередь, смущают неподготовленного зрителя, заставляя его недоумевать, а кто же представители классицизма — Давид и Энгр или Комар и Меламид? Именно это недоумение Б.Гройс считает заслугой КМ, «героев постмодернистского времени»: «Грани между подлинным и неподлинным, своим и чужим, высоким искусством и китчем, индивидуальным и массовым стерлись» (5).

Обратившись к трюкам наподобие «продажи душ», к литературно-политическому анекдоту и вооружившись самодеятельным академизмом (соцреализмом и т.п.) как средством, КМ изменили, помимо всего, цеху художников. Перейдя из сферы возделывания формы в сферу «рефлексивных» или иных «игр», они поступили так же, как поступил бы крестьянин, перестав возделывать землю и занявшись взамен сочинением декретов по поводу сельского хозяйства и около.

Согласно Б. Гройсу, деятельность КМ способствует развенчанию «Великого мифа авангарда». Объявив о гибели авангарда, Б. Гройс сваливает в одну кучу и причисляет к авангардистам всех, кто хотел переделать мир: от ранних христиан — через Пикассо и Дали — до Сталина и Гитлера, противопоставляя им постмодернизм КМ, ибо последние подобны Палисандру, герою С. Соколова, который не признает «отца как единого и безусловного творца» (читай: Бога-Отца) и «без комплексов совокупляется со старухами, заменяющими для него мать, время, судьбу» (6).

Напоминая, что «Гитлер был по образованию художником», Гройс бросает увесистый камень в гильдию художников: от древних греков — через Апостола Луку — до авангардистов XX века художники все-таки большей частью конструировали мир добра и красоты; таких, как Маринетти и Гитлер, были единицы, да они и не художники вовсе, а то, что взошло из посеянного Маринетти сегодня, — дезориентирующая и разрушительная сущность постмодернизма и как части его — соц-арта КМ.

В погоне за остротой ситуации КМ уже не находятся в первых рядах постмодернистов. К концу 80-х годов их обскакали более ловкие люди, владеющие компьютерами, видео и другой новой техникой («В 80-е годы стыдно работать кистью, когда есть компьютер» — слова художницы из Беркли Сони Рапопорт), а большей частью отказавшиеся от **изображения** вообще. В работах КМ, родившихся как-никак в среде русской книжной интеллигенции, еще можно найти бесхитростное читабельное сообщение, даже некоторую мораль, как то: Гитлер и Сталин — плохо, мы, КМ, — хорошо, или: музы — да, Сталин — нет, и т. п., т. е. где-то пахнет русским передвижничеством, когда литературный момент выпячен, а пластическая сторона хромает, исходя из чего можно даже при желании назвать КМ защитниками старины... Поэтому я не могу сказать, что КМ единственные из художников, кто нарушает десять заповедей: все художники заимствуют из прошлого — вероятно, вся суть в качестве и целях их заимствования и интерпретаций, а вот такой, уже упоминавшийся мною Ю. Шнабель, просто монструозно пожирает все на своем пути — убивая, лжесвидетельствуя, прелюбодействуя и воруя на своих «полотнах», лишивших человечество десятков квадратных миль визуального и физического пространства.

«Феноменом КМ» я называю состояние в постмодерном искусстве, отвратительное для меня не столько низким уровнем профессионализма, отходом от пластических искусств (суть, конечно, не в том, что художники отказываются от кисти и резца в пользу компьютера или камеры), но — главное — дезориентацией людей в критериях оценки, что есть и что не есть искусство, превращением в придаток mass media, опасной игрой во вседозволенность, в перепутывание понятий добра и зла.

ТРЕТЬЯ ВСТРЕЧА С КМ. КУЛЬТ ЛИЧНОСТИ КМ

В сентябре 1989 г. в Луисвилле, в маленьком художественном музее, КМ давали лекцию с диапозитивами о своем искусстве. Публики было человек сто, и настроена она была как-то игриво, словно в предвкушении чего-то смешного. Действительно, выступление было построено как дуэт двух клоунов-жонглеров: один бросает мяч реплики — другой его подхватывает; все было гладко отрепетировано. По крайней мере один член группы, А. Меламид, был одет в подобие клоунского костюма, в чаплинский узенький пиджачок с торчащими плечами и буффонные фиолетовые штаны в гармошку. И если Комар был в амплуа веселого и толстого клоуна, то Меламид был худ и неулыбчив.

Собственно, ничего смешного не говорилось. Наоборот, все, что говорилось, было достаточно грустно и бесперспективно, но публика покатывалась со смеху и держалась за животики. Рассказывалось о творческом пути группы, о поисках своего лица. Лейтмотивом было то, что вот мы, КМ, пуп земли. Для придания весомости происходящему использовались бесчисленные изображения Ленина, Сталина, Гитлера, американских президентов и других «великих людей». Например, подавалась серия портретов мировых лидеров в виде известного автопортрета Ван Гога с отрезанным ухом, т.е. Ленин с отрезанным ухом, Джон Кеннеди с отрезанным ухом и т.д. Или как-то сопоставлялось: Ленин — Сталин и Комар — Меламид. Мне трудно задержать в памяти эти однообразные работы, но помню, что в одном случае КМ изображались на фоне Ленина — Сталина в виде юных пионеров в коротких штанишках, салютующих вождям, в другом случае они себя показывали уже зрелыми мужами, а в третьем случае добавляли еще лозунг на кумаче со словами «Еб вашу мать». Непрестанное обращение к личности Сталина действительно наводит на мысль о мании величия, как это сказано у Б. Гройса. Создавая свой миф постмодернизма, Гройс включает в него миф культа личности КМ, который «больше, значительнее модернистского культа личности Сталина» (7). Может быть, это и есть претензия КМ занять должность «великого русского художника в эмиграции»? «Во всяком случае, — пишут Паперный и Компанеец, — они приложили много усилий, чтобы ее занять» (8).

«В России верят, что старое искусство, как и все старое, лучше нового», — сообщают во время своей лекции КМ, но сами всегда обращаются к старому как к некой прочной основе, привлекая внимание громкими именами и одновременно ограждая себя от возможности упасть и разбиться вдребезги. Таково, например, действо под названием «КМ строят Третий Храм в Иерусалиме». Слайды фиксируют довольно унылое строительство «храма» из разных незначительных подручных (вернее, подножных) материалов и его не менее унылое разрушение на следующий день. Или вдруг сопоставление: «Наполеон и верблюд». Или : «Телеграмма КМ Аятолле Хомейни» (о чем, неважно — важно, как всегда, сочетание слона и моськи). При этом они всегда играют в антиномию «стыд-бесстыдство», т.е. идея построения, разрушения и предстоящего возведения Храма велика, играть с ней стыдно, и все это знают, но нам, КМ, ничего не стоит возвести храм и разрушить его, посмеявшись заодно над идеей. Что нам Наполеон? Мы его верблюдом, верблюдом! Что нам Сталин? Мы его музами! Что нам Хомейни? Мы его телеграммой, телеграммой! И вот моська вырастает, вот она уже больше слона, вот она уже космическое чудовище.

«Мы всегда в центре мира, — говорят КМ, комментируя свое пребывание и работы, сделанные в Байонне, городке под Нью-Йорком, — Байонне — это центр мира, когда мы там. Это Иерусалим, Христос». То, что сделано в Байонне, трудно описывать. Это смешение работ, стилей, букетов икебана, бутылок с водкой имени КМ, изображение человека, мочащегося бронзой, горы мусора, вызывающие усталость глаза и мозга.

После представления — а как иначе назовешь это выступление КМ — я несколько минут говорил с Виталием Комаром. Я: «Вы не боитесь опасности скатиться до уровня Якова Смирнова?» (9). В. Комар: «Кто знает, кто более важен для истории, Леонардо да Винчи или Яков Смирнов?» (10).

«ФЕНОМЕН КМ» — ФЕНОМЕН ВСЕДОЗВОЛЕННОСТИ

Было бы нечестно кривить душой и обвинять КМ (и только их) во всех смертных грехах. Они — остроумные, находчивые люди, здорово почувствовали моду наших дней и одними из первых двинулись в ее фарватере. Постепенно в постмодернизме—соц-арте, «после конца искусства» (Б. Гройс) их обгоняют другие «артисты», в том числе русские. Давно уже традиционные средства изобразительного искусства покрыты пылью анахронизма, давно уже неограниченность средств, отказ от самоограничения во всех смыслах вывели современных, в особенности американских, художников за рамки изобразительного искусства (11). Сам термин «fine arts», «beaux arts», так сказать, утратил смысл, и значение его испарилось. Такие общечеловеческие ценности, как самодисциплина, аскетизм, самоуглубление, мораль и духовность, выброшены, в общем, за борт. То американское искусство, что я имею возможность наблюдать в галереях и музеях современного искусства уже 15 лет, не имеет целей и ценностей помимо коммерческих. Художники, кого я нахожу интересными, талантливыми, подлинными, в большинстве не могут выйти со своими произведениями дальше своих мастерских. Они являются «воскресными художниками», т.к. всю рабочую неделю зарабатывают на еду и жилье-мастерскую. Положение американских художников настолько чудовищно, что требует для своего описания отдельной статьи.

Чтобы художнику преуспеть в современном мире, особенно в США, талант, индивидуальность, национальная принадлежность не нужны. В гомогенизированном вареве постмодернизма нужны «волчья пасть, бицепсы атлета, оленьи ноги, нюх борзой, такт ренегата» (12). Если у художника в работе нет фокуса, трюка, его не пропустят на выставку, в галерею, на конкурс. Тысячи художников пытаются вывернуться наизнанку, что-нибудь изобрести, выдвинуться, не останавливаясь ни перед чем. В этом мире свободы нет никаких ограничений: крикните громче, подпрыгните выше, разденьтесь догола, вываляйтесь в краске и перьях, мочитесь или совокупляйтесь публично, замените инструменты художника бомбами или танками, как предлагал Маринетти, и хотя все это уже было — может быть, только тогда вас заметит галерейщик или критик.

Если бы я обладал способностью «крикнуть громче», чтобы быть услышанным, я предложил бы небольшую реформу в духе известной сказки Андерсена: не пришло ли время назвать вещи своими именами?

— Тех, кто выставляет «Процессы и материалы» под рубрикой художественных выставок, давайте снова называть не художниками, а, скажем, технологами.

— Тех, кто занимается вопросом окружающей среды и выставляет «Аспекты воздуха и воды», — исследователями окружающей среды.

— Тех, кто выставляет «Структурные системы», — строителями-структуралистами.

— Землекопов, которые, копая и перемещая землю под благосклонным оком художественных критиков, называют это «проекты на земле огромного масштаба», — землекопами, а особо выдающихся — ландшафтными архитекторами.

— Тех, кто выставляет «Политические образы», — политиками.

— «Геометрические формы» — геометрами.

— «Превращение объектов» — фокусниками-трансформаторами.

— «Еда и питье» — поварами (13).— «Действия» — деятелями.

— «Установки» — монтажниками.

— «Дерево и волокно» — столярами и плотниками, а самым выдающимся дадим диплом инженеров по обработке дерева и волокон.

— «Видео» — операторами видеокамер, режиссерами.

— «Географические карты» — картографами или почетными членами географических обществ.

— «Перформансы» — актерами, а «Nude performance» — актерами-нудистами.

— Тех, кто берет кучу мусора с улицы Нью-Йорка и вносит ее в галерею Кастелли, где она будет называться «installation», — мусорщиками. Сюда же можно присовокупить собирателя хлама и битых тарелок Ю. Шнабеля (14).

— «Упаковщиков объектов и товаров» — упаковщиками или товароведами.

— Тех, кто изучает и выставляет беспозвоночных или морские водоросли, — биологами.

— «Лягушек» — лягушатниками (15).

— «Гомосексуализм» — гомосексуалистами.

— «Феминизм» — феминист [ка]ами.

— «Расизм» — расистами (или наоборот).

— «Парикмахеров» — парикмахерами.

— «Врачей» — врачами.

— «Каменщиков» — каменщиками.

— «Акробатов» — акробатами.

— «Танцоров» — танцорами.

— «Портных» — портными.

— «Юристов» — юристами.

— «Проституток» — проститутками (правда, я пока еще не слышал, чтобы представители этой древней профессии называли бы себя художницами-авангардистками или постмодернистками).

Я не в силах охватить все профессии, что под титулом «постмодернизма» причислили себя к департаменту творцов-художников, но в свете этой реформы было бы уместно присвоить почетное звание клоунов (или клоунов-сатириков, или мастеров политической сатиры) Комару и Меламиду.

Если эта предлагаемая реформа не произойдет — значит, мы будем продолжать катиться по наклонной плоскости вседозволенности. Дозволено все. Забыв о драконовском наследии из «прожженных душ, дырявых душ, мертвых душ» (16), которое оставили Сталин и Гитлер, современные «художественные критики», «художественные дельцы» и сами «художники-артисты» продолжают поторговывать своими и чужими душами. «Какие у вас вопросы в ходу: нравственные, что ли? Вопросы гражданина и человека? А вы их побоку. Зачем они вам теперь-то? Хе, хе!» (17). Сперва «авангардисты» разрушили царство и храмы. Затем разрушают памятники тем, кто разрушил храмы. Что предлагается сегодня людям взамен разрушенного? «Соц-артисты» повторяют все это в мелком масштабе, они надсмехаются над всем — и над храмами, и над Сталиным, и над музами. Что они предлагают взамен?

«Нам вот все представляется вечность, как идея, которую понять нельзя, что-то огромное, огромное! Да почему же непременно огромное? И вдруг, вместо всего этого, представьте себе, будет там одна комнатка, эдак вроде деревенской бани, закоптелая, а по всем углам пауки, и вот и вся вечность» (18). Феномен Комара и Меламида... Не в комнату ли с пауками увлекают они свою аудиторию? Но как сказано о приносящих соблазны: «Горе тому, через кого они приходят!».

ПРИМЕЧАНИЯ

1. В США, где традиционная художественная школа в европейском понимании отсутствует, неумение КМ подается художественными критиками и воспринимается неподготовленным зрителем как умение.

2. В. Паперный, Е. Компанеец. Художники и заграница. «Синтаксис» № 18, 1987, Париж.

3. Там же.

4. Б. Гройс. Жизнь как утопия и утопия как жизнь. «Синтаксис» № 18, 1987.

5. Там же.

6. Там же.

7. Там же.

8. В. Паперный, Е. Компанеец. Там же. В этом пункте КМ в чем-то просчитались. Если опросить население Брайтон-Бич, то наверняка «главным художником» большинство назовет «знаменитого художника и князя Кабардино-Черкесии Михаила Шемякина Карданова-Черкасского» — в особенности после памятного чествования последнего 25 мая 1989 г. в популярном ресторане Бубы Котовели «Приморский». Кроме того, перестроечная конвергенция и наплыв советских художников в США велики, и кто будет назначен «великим русским художником» — пока неизвестно.

9. Американский комик советского происхождения.

10. Леонардо да Винчи вообще достается. В эти же дни я услышал подобное и от художника Е. Абезгауза: «Кто знает, кто важнее для истории — Леонардо да Винчи или Лактионов?».

11. «Ограничение художественных средств порождает стиль, дает рост новым формам и стимулирует творчество» (Жорж Брак).

12. В. Яновский. Двойной Нельсон. «Время и мы».

13. 8 июня 1981 г. в Университетском художественном музее Беркли была проведена выставка под названием «Съешьте ваше искусство до крошки». По конкурсу было отобрано 70 художников, произведших съедобные произведения, предназначенные для поедания зрителями. Над входом висел плакат: «Я люблю поедать искусство». Здесь уместно упомянуть и праздничные торжества в 1981 — 1982 гг. в Институте современной русской культуры в Голубой лагуне, посвященные русскому авангарду и «отцу русского футуризма» Д. Бурлюку, где гости плясали в карнавальных костюмах, сделанных по эскизам Татлина, Экстер и Чехонина, вокруг «супрематистского торта» по эскизу И. Чашника. Торт, естественно, был съеден под комментарии КМ и поэта-нудиста К. Кузьминского.

14. Сюда же американский критик К. МакГуиган, очевидно, причисляет И. Кабакова, поместив его фото с подписью: «Между философией, поэзией, анекдотами и мусором» (Art in from the cold. «Newsweek», May 23, 1988).

15. В 70-е годы художник Д. Гилхули изобрел и зрительно запечатлел мифологию и историю лягушек, их царей и богов. Это и все остальные подразделения видов человеческой деятельности, включившие себя в состав изобразительного искусства и перечисленные здесь, мною не придуманы, а взяты из книг и журналов. Имеется существенная разница между американским постмодернизмом с его кунштюками и европейским — от позднего де Кирико до Сандро Кья и некоторых немцев, продолжающих европейскую традицию.

16. Е. Шварц. Дракон.

17. Ф.М. Достоевский. Преступление и наказание. Слова Свидригайлова.

18. Там же.

МАЛЕНЬКОЕ ПОСЛЕСЛОВИЕ, ИЛИ ЧЕТВЕРТАЯ ВСТРЕЧА С КМ

Написанные три года назад, эти заметки, насколько я знаю, нигде не были опубликованы. Журнал «Время и Мы» на присылку моих материалов никогда не реагирует. Газета «Новое Русское Слово» не ответила. Газета «Новая Жизнь»

(Сан-Франциско) не ответила, «Синтаксис» (М.В. Розанова): «Статья хорошая, но меня и так уже судят внуки Набокова», «Панорама» (Половец): «Материал интересный, но я согласен не со всеми Вашими положениями», и т. д.

Очевидно, эмигрантская периодика, дочь советской периодики, унаследовала такую вещь, как самоцензура и трусость перед эстаблишментом.

Но мир не без добрых людей. «Твоя статья просочилась к КМ, — сообщил мне приятель из Лос-Анжелеса, — и теперь они начнут планомерно тебя уничтожать». Я не придал этому значения и даже посмеялся. «Ты большой смехач, — сказал приятель, бывший одессит, — но скоро ты им не будешь», и он оказался прав.

Началось с письма одного «писателя»: «За распространение клеветнических писем (?) о других людях (?), в которых Вы поносите их, сплетничаете, выражаетесь (?) и унижаете, Вас нужно привлечь за клевету и диффамацию» [вопрос. знаки мои.— А.Р.].

Один из популярных журналов, издаваемых на восточном побережье США, «Daedalus», собиравшийся поместить интервью со мной, вдруг отменил его. Когда, находясь в редакции, я спросил, почему, редактор безмолвно поднял указательный палец вверх к репродукции портрета «Сталина с музами», висящей над его столом.

Лос-анжелесская галерея некоего Савла Морозова предложила мне сотрудничество. Отозвавшись высоко о моих работах, Савл также рассказал, что его галерея будет представлять ряд выдающихся художников нашего времени, в том числе КМ, и обещал приехать ко мне через неделю для отбора работ. Не приехал он ни через неделю, ни через месяц, ни через два. «КМ рекомендовали Морозову не принимать тебя в галерею», — сообщил мне тот же знакомый.

Один из крупнейших соборов на западном побережье США планировал выставку религиозной живописи, где среди других художников должны были участвовать КМ и я. Неожиданно мое участие было отменено. «Почему?» — спросил я у патера в соборе. Он прикрыл глаза и указал пальцем на небеса. Вопросов у меня больше не было и уже не будет. Но иногда среди ночи, в темноте, мне мерещится по-кафкиански жуткое шевеление тараканьих усов Сталина — КМ.

Сан-Франциско

Январь, 1992 год

[Статья А. Рапопорта «Три встречи с Комаром и Меламидом, или Феномен КМ», без послесловия «Четвертая встреча с КМ», была наконец опубликована в журнале «Мулета — Z», Вивризм, Париж, под редакцией В. Котлярова. *Ирина Рапопорт*].

ЗАМЕТКИ
О РУССКИХ ХУДОЖНИКАХ–НОНКОНФОРМИСТАХ

Памяти Юры Дышленко

I. НЕМНОГО ИСТОРИИ

...Лагеря, бараки, бани и кочегарки. Из них согласно К.К. Кузьминскому (К. Кузьминский. Бараки Ленинграда. «А — Я», № 5, 1983) вышло неофициальное советское искусство 1950 — 1970-х годов. В своей статье об А. Арефьеве (А. Рапопорт. «Барачная школа из Эрмитажа». Памяти А. Арефьева. 1985, частично опубликована в журналах Ленинграда — СПб) я дополнил, что были еще Эрмитаж, ГРМ с иконами, уникальные по материалам и их доступности ГПБ, БАХ, добротные художественные школы, где обучались как будущие члены СХ СССР, так и будущие нонконформисты.

Были живы и никогда не были полностью задавлены художественные традиции России — наследницы Византии. Труд архитектора и художника лелеялся, охранялся и направлялся церковью и правительством, устанавливающими жесткие нормы искусства, закрепленные в определениях, предупреждениях, мерах и постановлениях, начиная со времен князя Владимира Великого. Вероятно, оброненную художником кисть не поднял бы ни русский царь, ни советский нарком, но российский художник всегда мог гордиться пристальным вниманием к нему, заботой, поощрением, контролем и... наказанием.

Иерархическая структура Российской империи была (хотя и извращенно) повторена в ее продолжении — советской империи. В этой иерархии художник занимал почетное место, окруженное общественным и личностным преклонением за его уникальный труд. Устанавливая каноны и охраняя их, церковь и государство, а после 1917 г. только государство защищали свое существование. Искусство диктатур ХХ века по-своему сохраняло оболочки традиций, не вникая в их суть. Естественно, советская власть делала все для ограждения канонизированного «соцреализма» от влияния «формализма» начала ХХ в. Для части молодых художников это было осознанным несчастьем. Неосознанное счастье, однако, было в том, что огромные пласты культуры прошлого были все же всегда открыты. На них основывалась советская художественная школа даже в самые мрачные 1930 — 1950-е годы.

Искусство европейского и русского авангарда, приоткрытое советской публике и художникам примерно с 1956 г., не противоречило искусству прошлого, имея в нем естественные корни. Относящиеся к Сезанну слова о том, что он в упрощенных геометрических формах делал то же, что Тициан и Пуссен в своих более сложных работах, можно отнести ко всему искусству авангарда.

Так, импрессионисты вычленили из старого искусства цвет и «увидели мир по-новому». Кубисты и конструктивисты вычленили форму и «сконструировали мир по-новому». Никто из них не отказывался от прошлого, напротив, основывался на нем: Пикассо — на древних греках; Джакометти — на этрусках; Гончарова — на иконе и т.д. Не разрывать связь времен, а сохранить ее — вот одно из главных достижений авангарда. И хотя в многочисленных «манифестах» некоторые авангардисты отрицали прошлое, на самом деле, они вплетали свои нити в ткань европейской культуры, раскрывая суть нового благодаря формам, добытым из старого (следует уметь отделять семена зла, посеянного Ф. Маринетти и М. Дюшампом).

II. ТЕАТРАЛЬНЫЙ ИНСТИТУТ

Как-то в середине 1950-х годов я попал на выставку портретов Н.П. Акимова в Доме работников искусства. Выставка поразила меня странным сочетанием остроты портретов с их, как мне тогда показалось, нехудожественностью. Мне, воспитавшему себя на изучении итальянских мастеров, а также Дюрера и Гольбейна, рисунки Н.П. Акимова представлялись литературными, а форма их — дутой, сделанной как бы аэрографом.

Году в 1958-м я занимался в художественном кружке в Доме медработника и встретил там пожилого актера из Театра Комедии, который с ненавистью говорил о главреже Театра, «диктаторе и самодуре» Акимове, который насаждал в Театре «культ личности» и изгнал неугодных.

В 1959 г., после последовательных неудачных попыток поступления в Институт им. И.Е. Репина и В.И. Мухиной, я принес свои работы на собеседование, предшествовавшее вступительным экзаменам на факультет художников-постановщиков Театрального института на Моховой улице. Собеседование перед экзаменами было введено Н.П. Акимовым как очень гуманная мера: еще задолго до вступительных экзаменов абитуриент знал, есть ли у него шанс поступления и стоит ли ему держать экзамены, да и преподаватели составляли свое мнение об абитуриентах.

Я принес тогда три холста: «Возложение венков на Марсовом поле», «Автопортрет» и «Больная». Николай Павлович встал из-за стола и всей фигурой устремился к работам. «Посмотрите, Татьяна Георгиевна, — обратился он к преподавательнице Бруни, — это, по-моему, стоящие работы». С этого момента начался светлый период моей жизни в атмосфере участия и понимания.

Занятия со студентами Н.П. Акимов строил в виде дружеских бесед, во время которых он покорял нас своими знаниями, логикой и красноречием. По сравнению с другими художественными учебными заведениями, где преподавание слепо придерживалось «реалистических традиций», Н.П. Акимов имел продуманную и рациональную систему, которую сумел ненавязчиво передать

8

нам. Суть этой системы исходила из периода конструктивизма в советской и зарубежной архитектуре и восходила к таким его представителям, как Ле Корбюзье, братья Веснины, Я. Чернихов и др. Если пойти дальше, то она восходила к кубизму, на котором в конце 1950-х годов еще лежало расплывчатое «табу», а через кубизм в глубь веков, к первоосновным представлениям о композиции в искусстве вообще.

Этот пропедевтический курс включал набор постепенно усложняющихся заданий: от осознанного пользования комбинацией простейших геометрических фигур на плоскости, развивающих у студентов представление о равновесии масс (знаменитое упражнение «12 спичек на заданном фоне»), до сложных архитектурных композиций, включавших и движущиеся элементы.

Параллельно с этим Н.П. Акимов делал акцент на развитие у будущих постановщиков фантазии и оригинальности — качеств, необходимых для театрального художника. Этому помогали такие задания, как «Человек будущего», «Животное будущего», «Композиция — ассоциация с музыкальным произведением» и т.д.

Благодаря основательной формальной подготовке выпускники факультета могли работать не только в театре и кино, но и во всех областях дизайна. Имея персональную склонность к сюрреализму, Н.П. Акимов не оказывал давления на своих студентов. Поэтому по окончании института и появлялись такие разные художники, как Ю. Дышленко, Э. Кочергин, М. Кулаков, А. Рапопорт, И. Тюльпанов, О. Целков и многие другие.

В 1964 — 1968 годах, во время заведования отделениями дизайнеров и театральных декораторов в Художественном училище на Таврической улице, я использовал курс пропедевтики Н.П. Акимова и, дополнив его учебными упражнениями Баухауза, Вильнюсского Художественного Института моими свежими познаниями в теории информации, переведенным мною «Модулором» Ле Корбюзье, сделал курс основой преподавания композиции. За три года моей работы программа курса была хорошо «обкатана» и дала хорошие результаты: выпускники моих отделений по окончании училища успешно практиковали в самых разных отраслях художественных дисциплин.

Сам я в годы преподавания пропедевтики усовершенствовал заложенное Н.П. Акимовым свое композиционное мышление, позволившее мне выживать как художнику, работая в кино, театре, оформлении книг, в индустриальном дизайне в России и в эмиграции. Так, в Сан-Франциско в 1978 — 1986 годах я смог успешно работать в фирме по дизайну театрального оборудования, машин и механизмов, осветительных приборов.

Очевидная универсальность, упрощенность, практичность и логичность пропедевтического курса, хотя и вступившая в некоторое противоречие с идеалистическими устремлениями последних лет моей жизни, тем не менее сыграла положительную роль в моей жизни.

■

В общежитии Театрального института в Гавани, на улице Опочинина, 8, с заматеревшей вахтершей в ватнике у входа, тетей Клавинькой, бывшей в курсе всех студенческих дел и кричавшей каждому студенту, проходившему через ее пост, что-нибудь вроде: «Чё, Севка, опять не сумел уе... Зитку?» или «Чё, Парапорт, опять б... привел?», где студенты ночами не спали, а выясняли отношения, где аспирант Ким бесконечно рассказывал мне в душевой, как к нему неравнодушна «кастелянша Анна», где из женской спальни иногда утром украдкой выбегали мальчики, где жизнь, в общем, по тогдашним стандартам, была достаточно либеральна, мы с Севой, Юрой Дышленко и Толей Крючковым, студенты постановочного факультета, поселились в одной небольшой комнате первого этажа в 1958 г.

Как и у всех, наша жизнь начиналась поздно вечером, когда мы с Севой возвращались часов в 10 из библиотеки Академии Художеств. Спать было невозможно ни в коем случае из-за шума, пения, готовки пищи и громкого хлопанья по всему зданию дверей. Сева часто убегал к своей возлюбленной осетинке Зитте на другой этаж или навещал подругу многих студентов, аспирантку Лидию Васильевну, которая, театрально закинув красивую руку на плечо, говорила прекрасно поставленным артикулированным сценическим голосом: «И в эту ночь всем стало известно, что Сталин застрелил Аллилуеву». Толя Крючков, стоя перед зеркалом с гантелями в руках, пел из «Фауста» — «О, великий бог любви, ты услышь мольбу мою». Юра Дышленко, беспрерывно куря и кашляя, ходил кругами и, хотя его никто не слушал, говорил о своих безумных прожектах будущих постановок. Я же выносил этюдник на кухню и пытался... работать.

■

Родившись в советскую эпоху и даже пройдя через все ужасы, связанные с лагерями, войнами, голодом, мы не могли не подпасть под влияние некоторых советских идей, почерпнутых, впрочем, из ренессансно-буржуазной Европы. Помните, лозунг Ю. Олеши: «Кто там сказал: «любовь, послушание, жалость»? Не знаем, не знаем, у нас — цилиндры, бензин, проекторы» (Ю. Олеша. «Цепь», 1929). «Да здравствует реконструкция человеческого материала, всеобъемлющая инженерия нового мира!»

В промежутке между 1956 и 1966 годами мы верили, что, да, были совершены ошибки, но «человек — это звучит гордо», а «знание — сила».

Желание упорядочить неупорядоченную жизнь, как-то формализовать, найти «всеобъемлющую форму» в жизни и в искусстве наблюдалось у некоторых студентов Театрального института, в частности, таких, как Ю. Дышленко, М. Кулаков, В. Кубасов, кто имел до поступления в Институт техническое образование. Этому способствовал и акимовский «пропедевтический курс», и открывшиеся вдруг всевозможные Институты технической эстетики, и увлечение всяческой эргономикой, инженерной психологией эстетики, и «Трудами Тартусского Университета по знаковым системам». Облечься в формулу, наложить схему на жизнь и защититься от жизни — такова была обратная сторона этих, в общем, приносящих положительные результаты поисков.

III. ЛЕНФИЛЬМ. РАБОТА В КНИГЕ. НОНКОНФОРМИСТЫ

В бесконечных коридорах и переходах киностудии «Ленфильм» происходило нескончаемое передвижение творческих работников «второго эшелона», т.е. всех родов ассистентов: заместителей директоров картин, помощников режиссеров, помощников операторов, помощников художников. Если главные «творцы», режиссеры и операторы, вынашивали свои замыслы в кулуарах, то мы, ассистенты, были всегда на ногах. То директор картины вызовет в свой кабинет, то в архитектурное бюро бежишь, то в съемочный павильон. «Художника ноги кормят», — говорили старые художники кино Маневич и Каплан.

Там я часто сталкивался в коридорах со своими бывшими соучениками по Театральному институту Борей Быковым и Юрой Дышленко. Юра работал ассистентом интеллигентного художника-постановщика Игоря Николаевича Вусковича, которому поручались самые интеллектуальные фильмы типа «Катерина Измайлова» или «Гамлет».

У нас, у всех молодых ассистентов, были свои идеи, как делать кино. Юра был начинен такими полубезумными идеями и излагал мне их при коротких встречах. Я лишь кивал и плохо слушал, потому что у меня самого было полно планов такого рода.

Хотя каждый из нас выполнял свою работу всерьез, атмосфера людских отношений на студии выглядела довольно фривольной, все крутили романы, легко сходясь и расставаясь. Но были и серьезные связи. Так, Юру часто можно было видеть в архитектурном отделе, где он познакомился со своей второй женой Галой — красивой «седой девушкой».

Встречались мы и в мастерской Юры на Васильевском острове. Когда была водка, устраивали скромную пьянку — «Плач Ярославны», но большого пития Юра не любил, отдавая предпочтение кофе и табаку. Курил же он безмерно. Много говорили об искусстве. Ознакомление с искусством Матисса, Пикассо, Синьяка, а через них — возврат к четкой системе византийско-русской иконы способствовали нашим поискам. «Четыре горшка» Тициана, колористические теории Синьяка и других импрессионистов, типографское и фото-искусство привели к «24 горшочкам» Юры Дышленко. Действительно, зачем эта бесконечная мазня поисков на палитре, в которой бесславно тонуло большинство учеников художественных школ, когда можно всемерно упростить технологию и думать о собственно искусстве?

Так сделал Юра в конце 1960-х годов, отказавшись полностью от масла и перейдя к темпере. Результаты не заставили себя ждать: появились ровно закрашенные плоскости со ступенчатыми переходами от тона к тону, гармоничные, но, на мой взгляд, холодные.

В начале 1970-х годов последовала первая заказная работа от известного руководителя музыкального ансамбля «Дружба» А. Броневицкого. У Юры не было необходимого холста, и я подарил ему очень хорошего качества загрунтованный мною холст, 175х175 см. Помню наше совместное «несение холста» сквозь линии и проспекты Васильевского острова в Юрину мастерскую.

Работа для Броневицкого представляла собой натюрморт со свечой, и я позволю себе отметить влияние «Натюрморта со свечой и кастрюлей» Пикассо 1945 г. В отличие от холодной гаммы натюрморта Пикассо Юрин натюрморт был выдержан в красновато-оранжевых тонах. Работа была прекрасно сконструирована, и я лишний раз вспоминаю известные слова о том, что искусство двигают вперед не столько талантливые, сколько образованные художники.

В конце 1960 — 1970-х годов у Юры Дышленко начался на несколько лет уход в холодно-аналитические, криволинейно-геометрические изыскания. Он обнаружил своих вдохновителей среди посткубистических течений, а именно — в пуризме, дадаизме, сюрреализме. К истокам творчества Юры я бы отнес работы Пикассо, Хуана Гриса, Леже и Ива Танги 1920 — 1930-х годов. Как политехник, дизайнер и как вообще многие ленинградские художники этого времени, Юра пытался дать своим поискам научно-техническое обоснование. Некая геометрическая схема присутствовала в его композициях, а в «раскраске» он использовал шкалу ограниченно подобранных цветов темперы, заранее заготовленных им в примерно 20 стомиллилитровых (около четырех унций) металлических горшочках. Предполагалось, что сочетание именно этих цветов долженствует дать искомый результат.

Я же во второй половине 1960-х годов «строил» свои композиции по «Модулору» Ле Корбюзье, а в «раскраске» пользовался «четырехгоршковой» системой Тициана и колористической схемой московского художника В. Вейсберга, опубликованной в «Трудах» Тартусского Университета по знаковым системам». Это помогло мне в преподавании «Пропедевтического курса» композиции в Таврическом училище в 1965 —1968 годах.

Забегая вперед, отмечу, что в 1980-е годы сложился тот «научно-фантастический» стиль зрелого Дышленко, с которым он приехал в Нью-Йорк. Это приторное название я применяю за неимением другого. Юра, конечно, был футуристом, видящим неумолимо приближающийся XXI век с его предапокалиптическим содержанием. В отличие от футуристов времени Маринетти, призывавших на место сладко-благополучного XIX века власть машин и крайних форм империализма, Юрий протоколирует предвидимый им страшный век.

Да, этот век будет даже красив космической красотой лунных марсианских или радиоактивных земных пейзажей, где обессилевший человек, заклейменный числом 666, забудет разницу между добром и злом, между реальностью и вымыслом, управляемый компьютерами и окруженный генетически выведенными тварями. Этот провидческий взгляд, эти серии кадров, как бы увиденные при электронной вспышке фотокамеры, ужасают своей документальностью и звучат, как улики преступления. Признаки наваливающегося века видны во всех последних работах Ю. Дышленко.

В начале 1970-х годов мы оба работали художниками книги. Юра начал это делать раньше меня, и у него накопился большой опыт. Для меня же все было внове: и макеты книг, и дизайн разворотов, и начертание шрифтов. Ввел меня в работу над книгой художественный редактор издательства «Аврора» Г.П. Губанов, вдохновил своими трудами В. Фаворский, а много полезных практических советов дал мне Юра. Его талантливая работа над макетами и использованием в дизайне фотографии очень мне помогли.

■

Почти все без исключения художники, шедшие в фарватере нонконформистского движения 1960 — 1970-х годов, были жестко ограничены рамками своего времени и культурного milieu. Это особенно хорошо видно из временной и географической удаленности, какая есть у меня в 1990-е годы в Сан-Франциско. Да это и естественно: одинаковое воспитание, одинаковые книги, одинаковые выставки не могли не привести к ограниченным результатам. Сознательно или бессознательно, мы занимались цитированием известных мастеров. Мало кому, О. Целкову например, удалось вырасти из этого и создать свой стиль.

Набивший всем нам оскомину «социалистический реализм», который сам по себе был не худшим художественным направлением, заставил многих художников искать других, близких себе по духу учителей. Так, для меня явились откровением последовательно работы Сезанна, а затем Руо. Я многие годы находился под их влиянием, чтобы с удивлением обнаружить уже в США, что на самом деле нахожусь под влиянием Татлина и русских конструктивистов.

Непосредственно варясь в среде художников Ленинграда, я не осознавал, что «нонконформисты», обращаясь к языку авангардного искусства, на самом деле шли гораздо дальше. Оперируя открытыми для себя новыми (или хорошо забытыми старыми) формами, эти художники героически пытались прорваться сквозь омерзительную скорлупу коммунистических догм к телу духовного концентрического конуса, составляющего основу евразийского византийско-христианского мира. Они пытались сделать то, что оказались не в состоянии сделать авангардисты Европы. Похоже, что Рим—Византия—Ленинград — это сегодня единый мир, и мы — его часть.

Регулярность и структура Петербурга—Петрограда—Ленинграда сформировала и нашу всех регулярность и структуру. Разве не вычертили линии Васильев-

ского острова навсегда свой чертеж в сердцах незабвенного Бореньки Рабиновича, жившего и работавшего на первых линиях; Юры Дышленко, жившего в
подвале где-то на 8—12-й линиях или у меня на 19-й линии у Большого? А вот
Арефьев с Петроградской стороны. Разве кажущийся сумбур ее улочек не нало-
жился на арефьевскую греко-петербургскую геометрию? А туманные гудки мая-
ков и пароходов? Эти проникающие в душу гудки, будь они в Петербурге, во
Владивостоке, или здесь, в Сан-Франциско, по другую сторону Тихого океана?

Немецкая рассудочность петербургского искусства по контрасту с итальянской жовиальностью московского, всегда имея в подспуде византийско-рус-
скую спиритуальность, давала иногда образцы, недосягаемые для европейцев.
Но в наши дни конца 1980-х — первой половины 1990-х годов мы видим досад-
ный уход русских художников «на заработки», т.е. в имитацию американского «глав-
ного потока» (mainstream), созданного компьютеризованными mass media — средствами массовой информации.

И если немецко-петербургская школа все же стремится к некоей, пусть рас-
судочной истине (в 1970 — 1980-е годы Ю. Дышленко буквально «вычислял»
свои работы), то итальянско-московская школа пришла к театральной имитации образа, к декорации, сопровождаемой глубокомысленными концептуаль-
ными текстами, к самодовлеющей эмпирике объекта (Комар-Меламид, Кабаков
и др.), скрывающими за собой пустоту. Эти московские художники претендуют
сегодня на показ развала советской империи, но о чем будут говорить их работы, например «Унитазы» Кабакова завтрашнему зрителю?

IV. РУССКИЕ ХУДОЖНИКИ НА ЗАПАДЕ

Несколько сотен художников-эмигрантов, выходцев из СССР, трудятся в Нью-
Йорке и Париже. За исключением десятка художников, выставляемых Э. Нахамкиным, и другого десятка, подвизающегося в галереях Басмаджана и Лаврова,
остальные работают водителями такси, уборщиками, сторожами, если не сидят
на содержании своих жен. Мне лично не известны ни удачно сложившиеся на
Западе биографии, ни счастливо расцветшие таланты. Запад «собаку съел» в
деле подавления талантов. Никакому Министерству культуры СССР, никакому
КГБ не снилось такое массовое уничтожение, разобщение и отсев талантов, какое с легкостью происходит на Западе без всякой «советской власти». Возьмем
несколько примеров эмигрантских художников из России, которые на виду у американцев. **Эрнст Неизвестный**. Он сам говорит о себе с достаточной горестью:
«Американские журналисты знают меня как героя войны или диссидента, знают
мою конфронтацию с Хрущевым, но они никогда не делали попытки анализиро-
вать мое искусство». Скажем откровенно, что они этого не делали, т.к. им не интересно, и они не знают, как это делается. Членство Эрнста в художественных
Академиях Запада громко звучит лишь для оставшихся в СССР его поклонни-

ков. Его искусство не является для западных критиков современным, потому что они оценивают вещи по внешним признакам, причисляя Э. Неизвестного к авангардистам первой половины века. Гигантские проекты художника, возможность осуществления которых имелась в СССР (они и были частично осуществлены), на Западе никогда не осуществятся. **Михаил Шемякин**. Очень талантливый в начальном периоде своего пути, Шемякин выработал-таки на Западе свой стиль и свой личностный образ за счет утери неких внутренних качеств, без которых искусство не существует. Назовем это одухотворенностью, которую можно было видеть в его работах 1960-х годов в Ленинграде на Моховой и на прекрасной выставке 1968 г. в Ленинградской Консерватории. Углубляясь на Запад со своей конницей, действуя бравой поступью, мышцами, а где надо и хитростью, Шемякин завоевал рынки Парижа, Нью-Йорка, Лос-Анжелеса и Токио, завалил их массовой продукцией красивых и холодных работ; захватил воображение и валюту среднего американского потребителя. Этому способствовали и изданные с имперским блеском альбомы о самом себе, и эффектный вымышленный образ покрытого шрамами загадочного «князя» в средневековом театральном костюме, и прибытие в 10-метровом лимузине на свои opening receptions, где разинувший рот средний американец и наш брат — эмигрант, удостоившийся чести быть приглашенным, бывали сражены наповал горами caviar и морями champagne. Американские критики М. Шемякина нарочито не признали. Возможно, весь блистательный марш: Санкт-Петербург — Париж — Нью-Йорк — Лос-Анжелес — Токио послужил лишь для подтверждения старой истины: «не в деньгах счастье».

Оскар Рабин. «Вождь московского авангарда» 1950 — 1970-х годов, Оскар вроде бы невольно оказался на Западе. Его сугубо русский передвижнический дар, созданный Москвою и для москвичей, не нашел на Западе зрителя. Определенная сырость, некрасивость и литературность его работ и не могла быть принята французами с их галльским стремлением к морфологии. А для американцев это просто чужой и непонятый мир. Судьба Оскара Рабина оказалась драматической, но типичной судьбой «перемещенного лица».

Игорь Тюльпанов. Лирический сюрреализм Игоря так же нужен американцам, как передвижничество Рабина. В 1975 г. толпы зрителей подолгу рассматривали его «Ящики воспоминаний» в Невском Дворце Культуры в Ленинграде, но в Нью-Йорке ничего подобного уже не было. Вероятно, потому, что в Америке есть свой детальный, протокольно-занудный фотореализм, также есть «сюрреализм ужасов». Фермерская лирика «Мира Кристины» А. Wyeth или урбаническая лирика Т. Бентона тоже не протягивают нити связей от немецко-акимовского стиля Игоря к американскому зрителю. По слухам, Нахамкин продавал работы И. Тюльпанова по высоким ценам, но тогда непонятно, почему во второй половине 1980-х годов Игорь обратился к соц-арту в стиле Комара—Меламида, делая большого размера иллюстрации с изображением Ильича, несущего за спиной Сталина; Сталина, несущего за спиной еще кого-то и т.д. Пение не своим голосом всегда опасно.

Олег Целков. Один из немногих, Целков сохранил свой исключительный дар, утеряв, однако, живость и остроту работ 1960-х годов. Самодовлеющая техническая сторона — эти бесконечные красочные слои и лессировки — почти скрывают однообразные массы одного и того же сюжета, отличающегося лишь разной иллюминацией. Для оценки работ Целкова нужно слишком хорошо знать его предыдущую силу, чтобы догадываться, что она продолжает присутствовать за этими туманными наслоениями. Боюсь, что невольная зависимость от рынка давит и на него.

Только такие монолитные фигуры, как О. Целков и **Ю. Красный,** сумели почти не поддаться гнету галерей. Очень большой дар колорита и формы, присутствующие у Ю. Красного, делают его одной из самых крупных фигур эмигрантского русского искусства.

V. УСНУВШИЕ ГЕНИИ

Владимир Некрасов. Картины В. Некрасова в Ленинграде были совершенно самобытны, сильны, глубоки, человечны, сатиричны. Это было лучшее слово русской литературы, воплощенное в зрительные образы. Почему-то всегда, рассматривая его работы, я чувствовал мощь Достоевского или Щедрина. Как все арефьевцы, он вышел из передвижников, но помноженных на отличное знание европейского искусства всех времен. Жаль, я никогда не имел с ним прямых контактов. Знаю по слухам и упоминаниям в русскоязычной печати Америки о его «Некрасовке», где он приютил русских художников и поэтов, о каком-то заказном витраже и... все.

Конечно, главный уснувший гений — это **Александр Арефьев**, но он уснул вечным сном в 1977 г. в Париже, его работы рассеяны по западным «connoisseurs», и разве когда-нибудь какой-нибудь русский идеалист возьмет на себя титаническую работу по розыскам и классификации работ этого гения. Надеюсь, что Н. Жилина в Ленинграде охраняет коллекцию его работ.

Как работы В. Некрасова существуют не для американских глаз, так и работы **Александра Рихтера**, совершеннейшего европейца, «замечательного одесского художника в эмиграции» (А. Арефьев). Мне случилось в 1983 г. быть в галерее «Sloane» в Денвере, где галерейщица М. Литинская показала мне несколько небольших картин и просила определить, что это. Одну-две работы я определил как французскую живопись XVII в., а что-то, кажется, как немецкую XVIII в. Оказалось, это были мастерские работы Рихтера, где все: холст, подрамники, живопись — идеально имитировало старину. Живопись была блестящей. Сделать это мог лишь талантливейший мастер и знаток искусства. К несчастью, я не встретился ни с самим Рихтером, ни с его подлинными работами.

Могучими, как у Самсона, руками гнул **Соханевич** не то что подковы, а рельсы и ломы. В Ленинградском Институте Академии Художеств он был известен не только как талантливейший студент, но и как человек, умеющий стоять на одной руке. Году в 1968-м вдруг стало известно, что он вместе с другим   художником,

Г. Гавриловым, как некие античные герои переплыли Черное море (!) в Турцию (!!), дабы затем обрести свободу в США (!!!). Живя в преступном пуэрто-риканском квартале в Нью-Йорке, Соханевич продолжал делать конструкции из действительно очень напряженного металла. Его выставляли, о нем писали в «Art in America»: даже равнодушные американские художественные критики не могли пройти мимо такой мощи. Затем стало известно, что Соханевич жил в «Некрасовке», что его выселяли из Дома художников в Париже. И все.

Симон Окштейн. Очень талантливый художник и очень гибкий человек. В конце 1970-х — начале 1980-х годов его работы в галерее Нахамкина привлекали своими портновско-модельерскими сюжетами, где наследие местечковых портных, помноженное на талант и влияние Р. Линднера, породило яркие и необычные работы. К сожалению, к концу 1980-х годов Окштейн стал чересчур галерейно-коммерческим художником. К Р. Линднеру добавились шелкографии a la Э. Уорхол (но хуже) и поверхность a la О. Целков (тоже хуже). Плюс к этому — гигантомания и утрата чувства меры привели к досадной антихудожественности и... к большим деньгам. На примере С. Окштейна лишний раз убеждаешься, что его галерейщик Э. Нахамкин — колоссальный коммерсант, умеет использовать таланты, но выращивать и беречь их не считает нужным.

■

Почти ничего не могу сказать о «парижской школе» русских художников, т.к. видел их только в галерее Нахамкина, где им свойственна модная «выхолощенность», красивые и холодные поверхности красочных слоев.

В Париже я видел только работы талантливого А. Леонова, который остался самим собой, и В. Воробьева, о котором не могу сказать ничего определенного.

Сейчас, на расстоянии пространства и времени, я вижу, что так называемые «художники-нонконформисты» 1950 — 1970-х годов разделились на две категории: те, кто почувствовали и сохранили традиции прошлого, и те, кто оказались вне традиций. К первой категории относятся ленинградские художники группы А. Арефьева, ученики О. Сидлина и Г. Длугача, и те, кто разделял их идеи, в частности, ряд бывших студентов СХШ.

Московские художники относятся ко второй категории, воспринимая подчас только внешние черты формалистского искусства.

Сан-Франциско

1990-е годы

9

II. СТАТЬИ

О ВЫСТАВКЕ РУССКОГО
И СОВЕТСКОГО ИСКУССТВА В МУЗЕЕ ДЕ ЯНГ

Передо мной каталог выставки 1977 г. «Russian and Soviet Painting». Как отрадно, грустно и странно видеть старых знакомых здесь, за океаном! Перелистываю страницы, нахожу любимых авторов, вспоминаю годы учебы в художественном училище, Русский музей, Третьяковскую галерею...

Вот несравненные русские иконы, последний всплеск Византии, небывалый взлет духовности в совершенстве формы. После революции 1917 г. многие музейные работники совершили настоящий подвиг, сохраняя эти шедевры от повального изъятия и уничтожения, как это делалось в церквах, где иконы погибали от огня. Таким героем, например, был Отец Павел Флоренский, священник, ученый и гуманист, который рассматривал икону как неразрывную часть литургии, как материализованную часть Божественного Духа. Вместо того, чтобы его «Теорию обратной перспективы» читать в художественных вузах и возродить на этой основе русскую художественную школу, заблудившуюся в дебрях передвижничества и социалистического реализма, его бросают в северные лагеря, где он встречает свою смерть.

«Явление Христа народу» Александра Иванова. Отрадная страница в истории русского искусства. Светлый зал Русского музея. Традиции Ренессанса. 25-летний труд. Как-то, студентом, я спросил своего преподавателя: «Почему мы не изучаем композицию Иванова? Ведь он великий мастер композиции». «Не морочьте голову себе и другим, — ответил преподаватель. — Смотрите лучше передвижников». «Почему мы почти не изучаем творчество Врубеля?» — думал я тогда же. В нем слились и Византия, и современные поиски формы. Живи он в Европе, он снискал бы славу второго Сезанна, если не более. Однако в музеях десятки лет даже его знаменитого «Демона» не показывали. «Пророк» был глубоко запрятан в кладовых ГТГ, фреска «Сошествие Святого Духа» в Кирилловской церкви в Киеве (превращенной в психбольницу) навсегда сокрыта от глаз зрителя и постепенно разрушается. Врубель дал толчок развитию русского модернизма: Бакст, Сомов, Бенуа, Борисов-Мусатов и многие другие. Давно ли их перестали обвинять в «упадочничестве и модернизме»? Давно ли их стали показывать зрителю?

Любимый мною когда-то Кончаловский. В конце 50-х годов его картины появились вдруг в экспозициях и наполнили мир художественной молодежи мажорностью цвета и формы, перекинув от нас мостик к запрещенным тогда французам. Потом его работы вдруг исчезали (Хрущев поругал модернистов), то вновь появлялись на стенах музеев. Впрочем не так давно, в 1975 году с большой «Выставки русского портрета» в ГРМ через несколько дней после ее открытия был внезапно снят с экспозиции огромный двойной автопортрет Кончаловского и Машкова, должно быть испугавший советских цензоров своей мощью. Кстати, одновременно были сняты «Красный еврей» Шагала и «Мои родители» Фальк-ка. Какую крамолу нашли в них? Ни один работник музея не пожелал ответить, куда исчезли картины, уже внесенные в каталог. С Марком Шагалом вообще комедия: он, можно сказать, запрещенный художник в СССР, чуть ли не «изменник родины». Его работы обычно находятся в секретных хранилищах музеев, куда простым смертным доступа нет. В 1973 году Шагал на несколько дней приезжал в Москву и Ленинград. В эти дни, когда в дирекциях музеев его принимали с самоварами и бубликами a la russ, выставлялись и его картины в ГТГ и ГРМ. Но как только он покинул страну, картины были сняты.

Своих великих сынов, как правило, Россия признает посмертно. 36 лет назад умер или, прямо скажем, был убит Павел Филонов (во время блокады Ленинграда его преднамеренно лишили продовольственных карточек за «отход от социалистического реализма»). До сих пор его гений тяготит чиновников от искусства. Не открывают его зрителю! Пуще прежнего таят в тайниках, боясь, что показ его работ чреват духовным взрывом. Ради справедливости следует сказать, что в годы «хрущевской либерализации» была его выставка: она была открыта 4 часа в закрытом для зрителей помещении Союза Художников. То же можно сказать и о родоначальнике супрематизма Малевиче. Через Баухауз и зарубежные журналы вернулся он к студентам-художникам в 60-е годы. А в музеях? Ни-ни-ни! Только под замком. Нет у меня сейчас, к сожалению, под рукой советских художественных журналов 30-40-х годов. «Изменниками», «врагами народа и революции» называли там Малевича, Кандинского, Гончарову, Ларионова, Лентулова, Татлина, Розанову, Попову и десятки других мастеров, подлинных зачинателей искусства XX века. Чуть ли не под покровом ночи, под страхом увольнения с работы, показывал мне однажды хранитель тайного запасника Русского музея вещи Кандинского и других авторов. Уже классиком абстракционизма стал Кандинский, уже прогремела слава Гончаровой и Ларионова, умерших в изгнании, но по-прежнему как огня страшатся их цензоры Министерства культуры СССР.

Петров-Водкин, Павел Кузнецов, Штеренберг, Шевченко, Альтман. Нет, их не гноили в лагерях и ссылках. Но разве можно забыть разгромные постановления и статьи в газетах, «проработку» на собраниях, лишение заказов, запрещение выставлять и продавать работы и другие бесчисленные прижизненные и посмертные унижения в долгий период мрака 30—50-х и безвременья 60—70-х годов? Кто мог бы узнать в постаревшем молчаливом макетчике в 40-е годы в Москве некогда блестящего художника-конструктивиста Татлина — родоначальника ВХУТЕМАСа и ВХУТЕИНа? Кто мог бы в 50-е годы узнать в медленно умиравшем в Москве старике в рембрандтовском колпаке изысканного колориста, глубокого художника-философа Роберта Фалька? Если бы не бывшие ученики, подкармливавшие его, он, как и Филонов, давно бы уже умер от голода. А кто вне узкого круга ценителей искусства знает в СССР Древина и Удальцову? Где их можно увидеть? Кто их может увидеть? Боязнь дать населению любого рода информацию — одна из основ советской внутренней политики.

Можно поговорить и о другой проблеме, не менее жгучей в советском искусстве. Это проблема ломки талантов и приспособления их к идеологическим потребностям партийной элиты. Можем ли мы сравнить раннего и позднего Кончаловского? Раннего и позднего Дейнеку? Пластова, Самохвалова? Где их талант? Какой Мефистофель и за какие ценности приобрел его у них?

Я не хотел бы распространяться о придворно-партийных художниках, таких, как И. Бродский, по доносам которого уничтожались общества и группировки прогрессивных художников и фабриковались «Постановления партии и правительства по вопросам искусства», равносильные смертному приговору. Или таких, как Налбандян, автор помпезных полотен размером со стену дома, где изображался Сталин и его прихлебатели, при всех регалиях, сопровождаемые аплодирующим восторженным народом. После смерти «отца народов» Налбандяна покритиковали и даже высмеивали в печати. Тогда он пишет портрет Хрущева с космонавтами. О нем создают кинофильм. И вот, наконец, портрет Брежнева. Налбандян — Народный художник СССР, лауреат государственных премий, член Академии художества СССР, профессор.

Невозможно в короткой заметке описать планомерную работу, которую проделывают советские власти, чтобы усреднить, оглупить народ, лишить его подлинных источников духовности, вместо которых ему подсовывают сонную жвачку телевизора и лжепатриотические радиопередачи.

Завершается каталог именами В. Немухина, О. Кандаурова и Д. Плавинского. Кто они такие? Все знают о выставке художников-нонконформистов*, в сентябре 1974 года раздавленной бульдозерами. Немухин и его товарищи были в авангарде этого нонконформистского движения, которое всегда тлеет в СССР. Последняя вспышка этого движения была в 1974 — 1976 годах. Она ознаменовалась рядом выставок в Москве и Ленинграде с многотысячными толпами зрителей**, ростом активности молодых художников-нонконформистов, усиленной работой КГБ, заключающейся в постоянной слежке, лишении работы и мастерских, арестах, избиениях, отравлениях и даже убийствах. И, наконец, расчленением движения на три части. Первая — замученная арестами и избиениями и умолкнувшая (большей частью ушедшая в подполье). Вторая — выдворенная из СССР. Третья — купленная в буквальном смысле слова. Вот к последней и принадлежат указанные выше три автора. Задача властей была разрешена — движение нейтрализовано. И не случайно поддерживают в Москве нескольких бывших нонконформистов: вреда, мол, особого от них нет, а дипломатическому

---

* Русские художники-нонконформисты, противопоставившие себя официальному искусству. Они пытаются сохранять и развивать в своем творчестве духовность, высокое формальное мастерство, связь с традициями древнерусского искусства.

** Так, выставку в Доме культуры Газа посетило за четыре дня 8 тыс. человек; выставку во Дворце культуры «Невский» за 10 дней — 40 тыс. человек. Квартирную выставку еврейских художников Ленинграда на Рождественском бульваре за 10 дней — 5 тыс. человек.

корпусу и иностранным корреспондентам всегда можно сказать: вот он наш советский модернизм!

Выставка «Russian and Soviet Painting» будет очень интересной для сотен зрителей, которые придут в de Young музей, чтобы справедливо восхититься неповторимостью русской иконы, гигантами XIX века А. Ивановым и Врубелем, пионерами авангарда Кандинским и Малевичем. Для меня же, участника трагических событий в советском искусстве в 1974 — 1976 годах, мало еще известных западному миру, эта выставка является ярким примером спекулятивного отношения советских властей к искусству, дающим возможность вдумчивому наблюдателю экстраполировать его на советскую политику и во всех других областях.

Сан-Франциско

1977 год

ПРИЛОЖЕНИЕ

Газета «San Francisco Chronicle» опубликовала в августе 1977 г. заметку Вильямса Манделя (Беркли, Калифорния) на вышеприведенную статью А. Рапопорта «О выставке русского и советского искусства». В. Мандель пишет: «...художник, эмигрировавший из СССР в прошлом году, заявляет в своем обозрении, что представленная на выставке живопись Кандинского, основоположника абстракционизма, и Малевича, великого супрематиста, в свое время была запрещена к показу, а сами художники были объявлены «врагами народа». Это — неправда. Я смотрю на цветное воспроизведение в полный лист работы Кандинского «Восток», иллюстрирующей статью «Абстрактное искусство» в 1-м томе Большой Советской Энциклопедии, 1969 г. Статья о нем в Х-м томе не называет его врагом ничего и никого... Статья о Малевиче в томе XV-м называет его «советским художником»... Статья иллюстрирована его известной работой «Dynamic Suprematism», 1914 г. Эта Энциклопедия опубликована тиражом 630 тысяч экземпляров и ее можно найти в любой библиотеке».

ОТВЕТ ГОСПОДИНУ МАНДЕЛЮ ИЗ БЕРКЛИ

Alek Rapoport. «A Soviet Non-conformist Artist Speaks Out»
«California Living, San Francisco Examiner», September 25, 1977.

В 1976 г. автор этих строк эмигрировал из СССР в результате преследований его как художника-нонконформиста и, попав на Запад, был весьма удивлен целым рядом вещей. Например, на улицах Рима у него появилось чувство, как будто он вернулся на 25 лет назад, ибо именно 25 лет назад на улицах советских городов можно было увидеть такое количество портретов Маркса—Энгельса—Ленина—Сталина—Мао Цзе Дуна. Позвольте, думал автор, ведь даже детям известно, что «учение Маркса» стоило России более, чем 100 тысяч жизней. Кто же так страшно смеется над итальянцами? Кто, словно издеваясь над правдой, изуродовал стены римских домов в марте сего года крупной фотографией «Compagno Juzeppe Stalin» в годовщину его смерти?*

Вскоре затем я попал на выставку молодых художников-коммунистов «La Pittura Murale» в Остии. Основная тема картин была антиклерикальной. Например, был такой сюжет: Папа, распинающий Христа и т.п. Авторы картин с энтузиазмом говорили о том, что скоро грядет в Италии коммунизм, который покончит с религией, нищетой и неравенством, как это уже сделано в СССР. «Зачем вы уехали из России, самой лучшей и богатой в мире страны?» — недоумевали они. А через некоторое время можно было видеть многотысячные демонстрации на Piazza Venezia и у Ватикана, разбитые витрины магазинов, сожженные автомобили. Как это напоминало 1917 год в России и 1933 год в Германии!

Как коротка у людей память и как сильно в них стремление к самоуничтожению. Неужели неизвестно братьям-итальянцам, что истребление религии привело Россию к всеобщему моральному разложению и духовной нищете, а уничтожение неравенства тотчас же создало новый правящий класс — партийную верхушку, которая давит, грабит и делает нищей основную массу населения? В России, действительно, на улицах не просят милостыню: это запрещено. В России не увидишь на улице сумасшедшего, как в США, или калеку. Кстати, а где в России калеки — инвалиды второй мировой войны? Неужто они все уже вымерли или чудодейственно выздоровели? Не забыл «отец народов» — «compagno Juzeppe» о них! Не забыл, что сулил воинам златые горы. Еще в 50-е годы собрал он их своей железной рукой и выслал в отдаленные места, как бы в «дома отдыха». Таким местом был, например, остров Валаам, откуда ни один ветеран войны уже не вернулся.

Некоторые люди в США тоже как будто живут на другой планете. Один весьма интеллигентный человек был искренне удивлен, узнав, что в СССР был 1937 год, когда погибло несколько десятков миллионов человек. Другой, цветущего вида художник, изучает К. Маркса и мечтает об отсутствии безработицы, «как в России». (Недавно я видел, как строят в Сан-Франциско дом, небольшой, правда. Его делали... три человека. Вероятно, ни им, ни их работодателю было бы неинтересно, если бы вместо них троих было нанято тридцать человек, а зарплата соответственно уменьшена в десять раз. Вот это и было бы отсутствием безработицы по-советски). При этом некоторые американцы слишком доверчивы к так называемым «фактам», которыми умело пользуется советская пропаганда.

---

* Фотография «Ленин и Сталин в Горках» является фальшивкой советской охранки.

Так, г-н Мандель из Беркли верит тому, что написано в Большой Советской Энциклопедии о русских художниках Малевиче и Кандинском. Но он забывает, что БСЭ издана **всего** в 630 тысячах экземпляров, тогда как книжные и газетные киоски периодически наполняются десятками брошюр, направленных против искусства авангарда, **каждая** из которых издается тиражом в 100 или 200 тысяч экземпляров. Сравнимо ли количество людей, обращающихся в СССР к БСЭ или имеющих возможность подписаться (купить практически невозможно) на нее, с количеством людей, обращающихся в газетные киоски на каждом перекрестке, на вокзалах и в кинотеатрах, где брошюра стоит несколько копеек? Г-н Мандель также забывает, что БСЭ, изданная в 60-е годы, отражает так называемую «либерализацию» хрущевского времени. А знает ли г-н Мандель о БСЭ, изданной в 20-е годы? Там действительно давалась объективная оценка авангардистам. Но где эта энциклопедия? Она **изъята** из всех библиотек СССР специальным предписанием. А знает ли г-н Мандель о БСЭ 50-х годов? Она громила авангардизм как явление, идеологически враждебное советскому строю. Где эта энциклопедия? Она также **изъята** из библиотек в год «борьбы с культом личности».

А читал ли г-н Мандель советские журналы «Искусство» и «Творчество» 30-х годов? Именно там «врагами народа» называют художников-авангардистов. Известно ли г-ну Манделю, что в художественных учебных заведениях практически не изучается искусство западного и русского авангарда, а если и изучается, то для того, чтобы заклеймить «искусством пресыщенной буржуазии», «искусством, непонятным народу» и т.п.* Тома энциклопедии, о которых пишет г-н Мандель, изданы в конце 60-х годов. Именно в это время автор этих строк был уволен с преподавательской работы в художественном училище за «идеологическую диверсию». В чем она заключалась? В том, что автор показывал своим ученикам в библиотеке книги о… Кандинском и Малевиче.

Итак, что есть правда и что неправда, г-н Мандель? И всегда ли следует верить «фактам», особенно исходящим из тоталитарного государства?

Сан-Франциско

Сентябрь, 1977 год

---

* Если упоминается, например, Пикассо, то как коммунист и автор «Голубя Мира». Если Сикейрос — то как коммунист и борец за свободу народов Латинской Америки.

ОТ ТОММАЗО МАРИНЕТТИ ДО ТОМА МАРИОНИ,
или как направление изобразительного искусства «Дада» пустило корни и расцвело в Северной Калифорнии

В начале нашего века были сделаны два выдающихся определения целей изобразительного искусства: «Живопись никогда не может быть ничем иным, кроме как искусством имитации» (Пикассо. Maurice Raynal. «Modern Painting». Skira, 1960) и «Искусство должно прекратить быть имитацией и должно изобретать новые формы» (Певзнер и Габо. «Реалистический Манифест». Michael Butterberry, «Art of the 20 Century», NY, 1969). Буквальность следования этим формулировкам привела искусство сегодняшнего дня в состояние растерянности и потере всех критериев оценки.

МАРИНЕТТИ

В 1909 г. малоизвестный литератор Томмазо Маринетти опубликовал в газете «Le Figaro» манифест футуристов, где говорилось: «.. ревущий автомобиль, грохочущий, как пулемет, прекраснее, чем крылатая Нике Самофракийская... Мы провозглашаем славу Войне,.. мы уничтожим музеи и библиотеки». Неудачливый драматург, никогда не понимавший искусства, Маринетти пытался амбициозно играть на чувствительных струнах жизни. Говоря фигурально, это из него вышла гниловатая поросль европейских «левых», две мировых войны, русская революция, разлетевшийся вдребезги череп футуриста Маяковского и черепа миллионов других людей, никогда не слыхавших о Маринетти. Режимы неудавшегося юриста Ульянова, неудавшегося священника Джугашвили, неудавшегося художника Шикльгрубера — хорошо проиллюстрировали манифест Маринетти.

«ДАДА»

Один росток из посеянного Маринетти взошел в литературно-художественном направлении «Дада» в послевоенном Цюрихе в 1915 — 1916 годах среди анархистски настроенных поэтов (Тристан Тзара), художников, дезертиров с театров военных действий, политических эмигрантов (Ленин). «Противоположное равным образом пафосу экспрессионизма, патриотической позе футуризма и структурности кубизма, это течение воспользовалось достижениями всех указанных движений, но не породило связного художественного стиля. «Дада» характеризуется цинизмом, нигилизмом и сарказмом» (Peter Selz. «Art of Our Times. NY, 1981). Художники группы «Дада»: Марсель Дюшан, Арп, Пикабиа — пришли к расчетливому уничтожению всех общепринятых моральных и эстетических ценностей. Так, Дюшан предлагал, чтобы картины Рембрандта использовать в качестве гладильных досок, после чего Ман Рэй, один из дадаистов и «папа американского дадаизма», создал свой известный утюг с торчащими из основания гвоздями. Даже свои собственные работы он называет «объектами, предназначенными к уничтожению».

Несмотря на политический и исторический резонанс, беспредметно-жестокое и антигуманное направление «Дада» не прижилось в европейском искусстве. Оно перепрыгнуло через океан и через 30—40 лет пустило корни в США, стране, лишенной традиций в искусстве, и в особенности на плодотворной калифорнийской земле, заполнив своим лжесодержанием американскую пустоту.

СТРУКТУРНОСТЬ ЕВРОПЕЙСКОГО ИСКУССТВА
И ДЕСТРУКТУРНОСТЬ ИСКУССТВА США

Колыбелью, где родились западные религии, храмы, города, ритмы и искусство, было Присредиземноморье. Конструкция европейского города дала начало системам перспективных построений в изобразительном искусстве, в чем воплотились идеи моноцентризма и монотеизма.

Бесконечно удаленная, однако существующая, точка схода в перспективе древних египтян говорит о бесконечном удалении однако существующего Бога. Древние евреи создали невидимый метафизический конус невидимого, вездесущего, всепроникающего Бога-Элогим. Древние греки очеловечили богов, расселив их соподчиненно на Олимпе и обожествив человека. Христианские иконы, иконостасы и храмы с их сложным перспективным построением обращены и к Богу, и к человеку, сотворенному по образу и подобию Божию. Перспективная система христианской иконы сделала наглядно геометрическим умозрительный конус евреев, вовлекая человека в Божественную концентрическую систему мироздания, позволяющую постигать идею Бога, обращаться к Нему, благо Он суть в подобном концентре. Итальянская «одноглазая» перспектива, вывернув концентрический конус наизнанку и поставив человека в вершину конуса, привела к последующему разрушению изобразительного искусства.

Попытка европейских авангардистов XX века возродить множественность перспективных точек зрения не привела к возрождению искусства, а скорее к анархии, т.к. не имела за собой идеи Бога. Однако европейские авангардисты не смогли, к счастью, сломать не ими созданную моно- и кон- центрическую структуру европейского метафизического пространства.

Америка имеет другую, отличную от Европы, геометрию пространства, обусловленную географией и историей. Для этого пространства характерно отсутствие границ, безостановочность, отсутствие города (в европейском понимании) и городской архитектуры, продуваемость ветрами от океана до океана. Постоянная миграция населения. Прагматизм. Модель Америки — нечто вроде Броунова движения, упорядочиваемого лишь по принципу практической целесообразности.

Представление о Боге раздроблено. Масса религий и сект (4500). Иконоборчество протестантов и католиков (католики Америки, в отличие от католиков Европы и Латинской Америки, заменили изображение и образ вещами). Замена созерцательного и медитационного отношения к Богу, а стало быть и к искусству, физической активностью. В американском изобразительном искусстве нет представления о перспективе, которое следует из упорядоченной геометрии метафизического и физического пространства, и о цвете, который есть производная часть городской архитектуры и городского освещения. Американские художники долго шли на поводу банальных представлений об искусстве, делая «картину» по европейским стандартам, чуждым Америке, яркий пример чего Томас Бентон, ученик которого Джексон Поллок, вырвавшись из догм, привел «картину» к слою поверхностного натяжения и начал сегодняшнее американское искусство.

Если в европейском искусстве картина — сама в себе, она — все, то в американском искусстве она — фикция, кусок неорганизованного пространства, ее невозможно завершить, иначе она выпадет из пространства, а само пространство разрушится.

Иерархии пространства и системы тоталитарных диктатур родили антропоцентричность искусства. Бог — диктатор — человек. Сфера, конус, цикл — формы пространства Старого света. Перспектива, будь то византийская, будь то ренессансная, геометрически одно и то же: все сходится в одной точке. Нет перспективы — нет картины. Отсюда американский ташизм, поп-арт, серии холстов (в одной работе художник не может выложиться, поставить точку). Отсюда бессилие и «американский размах», устремленный в никуда.

После Поллока «европейское искусство» в США умерло, «картина» разрушилась. Все обратилось к **ВЕЩИ**.

При отсутствии многовековых традиций, то есть при отсутствии культурной и художественной информации, мир американского художника вынужден был базироваться на таких местных реалиях, как осколки индейского наследия, золотая лихорадка, романтика дальнего Запада, американский материализм, технология и машины, потребительство и деньги.

Превознесенный до небес за его разрыв с европейской традицией сан-францисканец 50-х годов Клиффорд Стилл — это всего лишь вариант европейца Франка Купки, но без прямых линий и углов, которые Стилл запретил использовать себе и своим студентам, как и вообще любую прямоугольную геометрию. Его ненависть к вертикали, линии горизонта, любому намеку на структурность кубизма была превращена в правило и явилась параллелью преследованию кубистов и других «формалистов» в СССР в эти же годы. Фигуративность также была предана Стиллом анафеме, что художественная критика увязала отчасти с ницшеанским нигилизмом, сартровским экзистенциализмом, но более всего (ведь те европейцы!) с послевоенной «Give ' em hell» («Покажем им кузькину мать!»)

политикой Трумэна. Сезанн и Пикассо как главные фигуры современного искусства были ниспровергнуты, да что там Пикассо! Леонардо, Рафаэль и Энгр были отправлены вслед за ними как представители осязаемого («tactile») искусства — имеющего «четкие края и определенные формы». Враг построений на холсте, Стилл, впрочем, прекрасно строил свои деловые связи и контролировал художественный рынок.

В США, как и вообще на Западе, бытует ложное мнение, поддерживаемое теперь и из СССР, что до «перестройки» советские художники, как и вся советская интеллигенция, погрязали в болоте отсутствия информации за своим железным занавесом. Более низкого уровня любых сведений о мире, который я нашел среди средних американцев вообще и американских художников в частности, я не встречал никогда. Даже самые крупные художники Калифорнии страдали, по их признанию, от недостатка информации. В 50-е годы скульптор Питер Вулкос делал свои первые скульптуры, вдохновляясь греческими оригиналами, которые он знал только в книжных репродукциях (самые провинциальные художественные школы СССР имеют набор гипсов с греческих и других оригиналов). Результаты бывали неожиданными и гротескными. Другой художник и скульптор Мануэль Нери, — он и Нэйтан Оливейра — два наиболее интересных художника Северной Калифорнии из «признанных», — вспоминает, как в те же годы до него, его жены Джоаны Браун и их друзей-художников доходили с восточного побережья США отрывочные черно-белые репродукции де Кунинга, на основании которых они воображали, что де Кунинг «действительно использует дикие сумасшедшие цвета и шлепает их на холсты толстыми слоями. Так что и мы начали мазать прямо из банок и возводить красочный слой полдюйма. Когда же мы увидели подлинники де Кунинга, мы были разочарованы: красочный слой был тонок, а колорит мертв. Но как хорошо было заблуждаться!» (Th. Albright. «Manuel Neri». «Currant», Apr.-May 1975).

Неимение того, о чем говорить, да и неумение, прямо скажем, привело к абстрактному экспрессионизму 50—60-х годов, к «живописи жеста». «Живопись изображает сама себя, — говорили художники, — если вы можете сделать жест в жизни, делайте его на холсте». «Средство сообщения само есть сообщение» (Маршалл Маклухан). Практицизм и слишком трезвый взгляд на вещи долго не давал возможность американскому зрителю принять абстракционизм, который ему упорно навязывали «революционные» художники, критики и зарождающаяся мафия художественных дельцов. «Абстрактный экспрессионизм, — признавал впоследствии Вильям Т. Уили, — был революционным по своей сути, но сделался слишком тяжелым моральным испытанием. Ницшеанское «по ту сторону добра и зла» было положено в основу искусства 60-х годов с уходом от социальных и моральных основ, с буддийско-даосистским спокойствием и безразличием ко всему, к жизни, к самому искусству».

100

«МУСОРНОЕ ИСКУССТВО»

Параллельно абстрактному экспрессионизму появляются течения, черпающие материал для себя в буквальном смысле из американской действительности, хотя взгляд на эту действительность средний американец 50-х годов, принявший решение быть художником и провозгласивший приверженность новому искусству, основывал на смеси безумных видений европейцев Андре Бретона и Макса Эрнста, бессмысленных построениях Марселя Дюшана.

Работа калифорнийского художника Клэя Спона «Событие среди вилок», набор вилок, погнутых и исковерканных во всех возможных формах, поданных как «сатира на художественную претенциозность и слишком серьезный взгляд на роль художника», задала тон «мусорному искусству» («Funk and Junk Art»). Собственно, возникновение «Funk, Junk and Beat Art», было отказом от изобразительного искусства вообще. Это уже не должно было быть «искусство в себе», по выражению французов XIX — начала XX века, это должно было быть «искусством жизни для жизни». Одна из первых выставок «Junk», сделанная под сильным влиянием «Дада» в 1953 г., называлась «Некрофакты или мертвое искусство». Были выставлены консервные банки, сухие цветы, локоны волос, просто мусор, кучи склеенного и несклеенного, как-то скомпонованного и чаще нескомпонованного хлама, горы битой посуды, поломанных кукол, раздавленных часов, камней. Колеса, моторы, чуть ли не целые автомобили с кладбищ машин также начинают становиться экспонатами художественных галерей. Funk & Junk Art — это следствие перепроизводства вещей в США. Например, один из «мусорных художников» Брюс Коннер, живя в Мексике, сетовал, что не может делать свои ассамбляжи, т.к. там ничего не выбрасывается.

«Сладкой землей Фанка — солнечной страной ужасов» назвал Калифорнию Харолд Парис.

Художник Волли Хедрик шел дальше. Нет принципиальной разницы, говорил он, между Боттичелли и Bottom Jelly (вазелином для задницы), между Шопенгауэром и Shopping Hour (деланием покупок). Эти слова он вводил в свои работы в виде надписей или в виде звукозаписи. Хедрик был рабочим по починке домов и лозунг его творчества был: «To paint out what doesn't count» («изображать то, что не заслуживает внимания»).

НИСПРОВЕРЖЕНИЕ ФИГУРЫ ХУДОЖНИКА

Постепенно и с трудом представление о том, что можно быть художником не будучи им, вошло, понравилось и прижилось в США, где идея «маленького человека», ненужности знаний и образования прививалась десятилетиями. «Художник — просто один из обычных парней» (Роберт Арнесон, калифорнийский скульптор).

В 50—60-е годы быть художником означало вести определенный образ жизни. Большинство художников жили, да еще и сегодня живут в заброшенных сараях и бывших складах, имели случайные заработки на скотобойнях и ремонтных работах. Это была жизнь изгоев, бродяг, наркоманов, иногда членов мистических культов, умиравших раньше времени от смеси алкоголя с наркотиками. Чтение Юнга и эзотерической литературы, галлюциногены, потеря и уничтожение работ — типичные явления. Рассказывают, что художник Гуч, преподаватель Laney College в Окланде, ушел однажды, извинившись, во время занятий в туалет и... никогда более не вернулся. Тысячи художников исчезают бесследно в прямом и переносном смысле. Фигура художника эксцентрична и нежелательна в обществе, на художника наложена печать низшей касты. Если вы сообщаете случайному собеседнику, что вы художник, он хватается за карман: американский налогоплательщик не любит художников, приравнивая их к нищим, бездомным и психически больным, которых он якобы содержит. Художникам не сдают жилье. Обманщиков и мошенников часто называют «художниками» («con artists»). Странно лишь, что при внешнем пренебрежении к искусству, его особой роли в жизни общества, к позиции художника, северокалифорнийские художники и историки искусства переполнены чувством регионального эгоцентризма» (Thomas Albright).

Слово «художник» само по себе потеряло границы и очертания. Я полагаю, каждый третий калифорниец считает себя художником или поэтом. Как правило, подобные художники не отделяют свое искусство от своей жизни и считают свой опыт и процесс важнее результата, которого большей частью и не бывает. Как-то я спросил нашу приятельницу N об одной местной художнице. Та долго рассказывала о ее оригинальном жилище, о какой-то козе и кулинарии. А что же все-таки делает художница, осталось неизвестным: что-то ювелирное, или, может быть, ткани. Повара, парикмахеры, портные давно уже причислены к широкому понятию «художник».

Чтобы стать художником, здесь не нужны ни долгие годы тяжелой учебы, ни штудирование натуры, ни знание памятников искусства прошлого, ни анатомии, ни перспективы, не говоря уже о получении какого-либо диплома, хотя и с дипломированными художниками дело обстоит не лучше. В первые годы моего пребывания в США (конец 70-х годов) я побывал в нескольких художественных учебных заведениях. На художественном факультете Теннессийского университета аспиранты свободно, но с благословения профессора, выбирали себе тему занятий: один изучал производство и обработку кожи вручную, другой — бумаги, третий — металлов, искренне полагая, что занимаются Fine Arts. Все они были мрачно озабочены предстоящими поисками какой-нибудь работы, которая дала бы им возможность как-то существовать. О работе, хоть немного связанной с искусством, и речи быть не могло: лишь благодаря личным связям и после тщательного отсеивания жалкие единицы получают место ассистента преподавателя сроком на один год. Неслыханным для них прозвучало известие, что по советским законам дипломированные специалисты в любой области обеспечиваются работой. Счастливыми считают себя те, кто после университетского диплома находят работу маляра, исполнителя bill boards (огромные рекламные щиты над скоростными дорогами), упаковщиками. Работа на почте в ночную смену — это предел мечтаний. Большинство убеждено, что так и должно быть и что они наслаждаются благами американской жизни.

В художественной школе где-то в районе Канзас-Сити студенты занимались изучением того, как выплескивать свое подсознание прямо на холсты (!).

Сан-францисский Художественный институт размещен в конструктивистском бетонном здании на холме, откуда открывается впечатляющий вид на город и залив. В самом институте, однако, кроме фресок Диего Риверы трудно найти что-нибудь интересное с точки зрения изобразительного искусства. То, что видишь на холстах или в скульптуре, а их становится все меньше под мощным натиском «установок» (installations), не изображает чего-либо кроме самого себя. Установки же состоят из всего, что может быть найдено в этой стране изобилия, и все больший удельный вес в них принадлежит телевизионному экрану. Студенты из многих мест Америки и других стран приезжают в этот институт. Их привлекают самые неожиданные для меня, человека, вышедшего из русско-европейской культуры, вещи: калифорнийский климат, сексуальная свобода (до СПИДа, естественно), отличный кафетерий, институтский джаз-банд. Изучение искусства не упоминается никем вообще.

Сейчас, в буржуазные 80-е годы, американские художники, пожалуй, уже не умирают от наркотиков, но их жизнь и судьба остается печальной, убогой и жалкой. И разве не являются наивными и безответственными недавние заявления Г. Брускина и И. Копыстянского об обретенной ими на Западе свободе и начале «настоящей жизни художника»? В США 400 тыс. художников в сфере Fine Arts. Из них не более 400 могут рассчитывать на перепродажу их работ при жизни. Остальные находятся вне рынка, единственного мерила успеха.

«BEAT» И «HIPPIE»

В 50—60-е годы Сан-Франциско был центром культуры «Beat» и «Hippie». Люди приезжали сюда, чтобы погрузиться в атмосферу непринужденности и поисков новых горизонтов. В «День дураков», 1-го апреля, в одном кабачке «The Place»делались выставки «Дада», когда все, кто хотел, приносили и вешали на стены всякий мусор и «Crap» («Экскременты»). Тут же выступали известные джазисты и такие поэты, как Гинзберг и Керуак. Произносились антиправительственные речи, пилось вино и курилась марихуана. Искусство было лишь видом забавы или протеста. В конце 60-х это кончилось. Дельцы начали прибирать искусство к своим рукам.

«POP-ART»

Новые «патроны», появившиеся на рынке искусства в 60-е годы, не хотят, чтобы их беспокоили сложностью искусства, требующего каких-то усилий от зрителя. Они радостно узнают знакомые до слез «100 банок» супа Кампбелл Энди Уорхола, спагетти Розенквиста, «Пироги и пирожные» Тибо, «Мягкий унитаз» Олденбурга. Искусство поп-арта в контексте мелкой потребительской культуры и гомогенизации культурных ценностей отразило настроение страны, довольной собой. Американцы осознали ценность своего родного изобразительного языка и своих зрительных форм, выросших из национальной коммерческой культуры. Американцам также попросту надоела идея об их культурной неполноценности по сравнению с Европой.

ИЗОБРЕТАТЕЛЬСТВО И МЕХАНИЗАЦИЯ

Искусство все более становится товаром, предназначенным для потребления новым поколением молодых среднего класса покупателей. Появляется мода на все новое: новый дом, новую машину, новую жену, новые эмоции, новое искусство. Искусство переводится в разряд новой забавы, нового раздражителя. В результате появляются новые течения рыночного происхождения: «Новый абстракционизм», «Фотореализм», «Неообъективизм», «Минимализм» и т.д. Консервативная политика Рейгана поощряла потребителей думать об искусстве как средстве капиталовложения, как об автомобиле, который сегодня моден и желанен, завтра ветшает и устаревает, а послезавтра приобретает коллекционную ценность. Сделанному руками все более придается вид сделанного машиной — унизительная зависимость от машины механизирует мышление, люди начинают думать, что произведение искусства нужно изобретать. Как сказал Исаму Ногучи, «идеалом художника в Америке является изобретатель телефона Александр Грэхем Белл». Вот и «папа-дада» Ман Рэй, перевозя свои работы из Франции в США, называл себя «Monsieur Inventeur et Constructeur» и делал это не только для того, чтобы избежать жестких французских таможенных законов по вывозу произведений изобразительного искусства.

Вот образчик описания «прогресса» в изобразительном искусстве искусствоведом 60-х годов: «Икс» определенно двинул искусство вперед, несмотря на то, что в отличие от «Игрека» он не был истинным конструктором пространства, он изобрел технику, которую можно видеть в его работе «Материнство». Главный трюк его техники состоял в переводе выпуклых форм в вогнутые... и т.д. В унисон к этому среди объявлений на рынке труда можно увидеть такие: «Требуется художник, водить автомобиль обязательно». «Требуется художник, скорость печатания не менее 60 знаков в минуту». «Требуется художник, умение рисовать не нужно». И на этом фоне совсем невинное: «Требуется работник (продавец, секретарь, агент и т.п.) в галерею, знание искусства не нужно». Вначале сами художники, а затем, и особенно в наши дни, мафия, создающая и контролирующая рынок, следуя примеру дадаистов, «демистифицируют искусство» и уникальную роль художника в мире. Так легче делать «звезды», держа 400 тысяч на дне, в бесправии и дезинформации.

«Боевая эра современного искусства — время битв между абстрактным и фигуративным искусством, рационализмом и примитивизмом, даже художником и филистером — ушла, покинув поле битвы в анархическом беспорядке» (Th. Albright. «Art In the San Francisco Bay Area. 1945 — 1980». UC Press, 1985).

ЛИТЕРАТУРИЗАЦИЯ И ПЕРФОРМАНСЫ

В 60—70-е годы в США исчезает и становится анахронизмом традиционное разделение изобразительных искусств на живопись, скульптуру, графику. Эти виды заменяются новыми и неожиданными понятиями, как то: процессы и материалы. Аспекты воздуха и воды. Структурные системы. Политические образцы. Окружающая среда. Превращение объектов. Геометрические формы. Проекты на земле огромного масштаба. Еда и питье. Ящики. Действия. Установки. Дерево и волокно. Видео. Географические карты. Восприятие. Представления (Performances).

Вторичное использование (Recycling). На вопрос, в чем сущность искусства того или иного художника, можно услышать: «он изучает беспозвоночных», «он делает компьютерное искусство», «он изучает влияние морских водорослей на СПИД». Персональная мифология, вымышленная мифология, гомосексуализм, феминизм, расизм, наркомания становятся все в большей степени объектами деятельности художников. Так, художник Дэвид Гилхули изобрел мифологию и историю лягушек, их царей и богов. Некоторые художники пытаются участвовать в работе муниципальных организаций, некоторые провоцируют какие-то уличные действа, шествия, ярмарки. Все это иногда фиксируется на фото, видео для последующей демонстрации, но зачастую и нет. Художественные галереи все чаще превращены в театральные сцены с демонстрацией самых невообразимых performances от, допустим, представлений со сбором средств в чью-нибудь пользу — до глубокомысленного передвижения по сцене голых «художников» или поливания зрителей кетчупом. В 70-е годы, как пишет Питер Селз, «искусство представления, искусство действия, искусство движения тела — все автобиографические события — сделались важны и в большой степени вытеснили изобразительное искусство. Даже само различие между временными и пластическими видами искусства было подвергнуто сомнению» (Peter Selz. «Art of Our Times»).

В английском языке, кстати, нет слов «изобразительное искусство». Их «Fine Arts» давно потеряло всякий смысл. Этот языковой феномен подтверждает отсутствие у англо-саксов таланта к пластическим искусствам, каковой недостаток с избытком компенсируется талантом к временным искусствам: литературе, театру, кино, видео и т.п. Поэтому нелепо и досадно, когда художники других культур, русские, скажем, пытаются подражать американской моде.

Кажется, французские социалисты-утописты мечтали о времени, когда все люди сделаются художниками, а искусство и жизнь будут взаимопроникаемы. Да, искусство растворилось в калифорнийской жизни и растворилось в ней без остатка.

ЭКЛЕКТИЗМ

«Концептуализм» 80-х годов, как следствие рейгановского буржуазного консерватизма, течение более литературное нежели изобразительное, а значит, и более доступное, приняло на себя понятие «революции и прогресса». Художники обратились к всеохватывающему эклектизму, соединившему все стили, идеи, все источники. Могущественный институт художественных дельцов, кураторов и коллекционеров создал мощную мафиозную систему, абсолютно регулирующую деятельность художников и стимулирующую лишь торговлю. Вопросы качества игнорируются и понимаются как нечто неприсущее произведению искусства, в лучшем случае, как некий внешний блеск, вроде блестящих паркетов в галереях Сохо. Появляется фаланга «художественных консультантов», которые направляют богатых клиентов и корпорации на приобретение произведений, имеющих видимость высокого качества и современности, а также имеющих достаточно нейтральный вид, чтобы украшать вестибюли, офисы и кулуары. «Чтобы быть настоящим коллекционером, — говорит собиратель Вейнберг, — вам не нужны глаза — вам нужны уши, т.е. хороший источник информации. Также нужны деньги и немного времени». Поэтому так много торговцев недвижимым имуществом, людей очень подвижных и вездесущих, стали интересоваться торговлей произведениями искусства. Художественный рынок часто называют «последним бастионом капитализма», т.к. на него не распространяются государственные законы и ограничения. Дельцы могут назначать любые цены, как это было недавно с «Ирисами» Ван Гога и «Автопортретом» Пикассо, делается это совершенно безнаказанно, без учета тяжелых ран, наносимых и искусству, и людской морали; а художники по-прежнему ничем не защищены и разобщены.

Вот что говорит критик Ролан Барт о новой эстетике наших дней: «Она не защищает, не обвиняет, не откликается, не имеет глубины, держится на поверхности явлений, исследует без страсти, не отдавая предпочтения ничему. Художественный язык не стремится более к абсолюту, не вторгается в бездну. Объект уже не феноменален, не двусмыслен, не аллегоричен, даже не глуп. Нет ни ассоциаций, ни отношений. Есть лишь упрямство его (объекта) присутствия, не вовлекающего зрителя никуда ни фактически, ни условно».

Драматические перепады искусства 50—70-х годов, все более вытесняющие человека как меру вещей и понятий, уничтожение личности художника открыли в 80-е годы дорогу к имитациям уже пройденных стилей, к беспринципному воспроизведению работ известных художников прошлого. Создательница «звезд», нью-йоркская галерейщица Мэри Бун, та самая, что вызвала к жизни злой дух Юлиана Шнабеля, выставила некую Шерри Левин, фотографии которой просто-напросто пересняты с работ известных фотографов начала века. Копии и фотографии картин других художников выставляются отныне сплошь в музеях и галереях под новыми именами ныне живущих художников и фотографов.

Фотография забрала от человека необходимость видеть и истолковывать видимое.

Кино, телевизор и видео все более замещают реальную жизнь и населяют ее призраками.

Компьютер выбирает за человека решение.

Лицо мира скрыто от человека — остается лишь маска.

МАРИОНИ

...Художник или некто, называющий себя художником, Том Мариони, пьет пиво всю вторую половину дня и на глазах у зрителей в галерее мочится в гальванизированную ванну, издающую изменяющийся звук по мере наполнения жидкостью. Называется это искусство «Piss Piece», что по-русски звучит «писс-писс», а в примерном переводе значит «Писающая Композиция».

Круг завершился. Томмазо Маринетти был бы доволен: изобразительное искусство разрушено.

Сан-Франциско

Июнь, 1989 год

10

СОВРЕМЕННОЕ ИСКУССТВО
ЗАСИЛЬЕ MASS MEDIA
АМЕРИКАНСКАЯ ХУДОЖЕСТВЕННАЯ КРИТИКА

(наброски к статье)

Неистребимой и непонятной вере людей в прогресс цивилизации был нанесен, что называется, «на нашей памяти» удар в первую мировую войну с ее хаосом, индустриализацией смерти, размоловшей целое поколение. «Только кретины и фашисты, — пишет Роберт Хьюз (Robert Hughes. «Modernism's Neglected Side», Time, Aug. 13, 1990), — могли повторять вслед за футуристическими риторами, что война — это гигиена цивилизации».

Разбитый на куски и пошатнувшийся мир европейского буржуа отразился в изобразительном искусстве нонконформистских художников, доконавших недоразрушенный мир на своих полотнах. Сотни тысяч художников после первой мировой войны в Европе, после второй войны в США находились и находятся под воздействием пагубной иллюзии, что «современное искусство» должно находиться в состоянии постоянной борьбы с традициями прошлого, «как, если бы каждый художник нес в себе своего собственного Эдипа» (R. Hughes, ib).

Американские mass media при помощи постоянного, упорного, назойливого повторения вбили в головы американцев, что они преодолели инерцию зависимости от европейского искусства, что американские художники могут отвергнуть старые, сложившиеся формы европейского искусства, что западные традиции «вышли из игры».

Образовавшаяся невозможность отличить искусство от неискусства, определить, кто художник, а кто нет, — вот на чем играют современные критики. Реальность проглочена экраном телевизора, и mass media бомбардирует нас информацией. Если искусство вернулось к объекту, то где же искусство? Оно растворилось в жизни? Если жизнь есть искусство, то зачем мы здесь сидим и обманываем себя?

Исходя из того, что Нью-Йорк в 1950 — 1980-е годы стал центром торговли искусством, американские художественные критики помещают себя в ценгре искусствоведения. Как все скороспелое, их суждения поверхностны и безапелляционны, а штампы и ярлыки не менее опасны, чем штампы и ярлыки их советских коллег в 1930 — 1950-е годы. Опасность же заключается в том, что, пренебрегая сутью, не имея практики глубокого анализа, воспитанные лишь mass media, они, скользнув быстрым, подобно лучу радара, взглядом, проносятся по поверхности явления, мгновенно оценивают его, базируясь на шаблоне более чем короткого опыта американского «взлета искусства» второй половины XX века.

Решающими моментами этой оценки являются: соответствие произведения искусства сегодняшней моде, то есть образцам «самого передового» американского искусства; соответствие установкам mass media; соответствие вкусу рынка. Все перечисленные моменты взаимосвязаны, и рынок занимает среди них главное место.

Таким образом, искусство других стран, в том числе русское искусство, выглядит провинциальным и рассматривается с колоссально самодовольного высока.

В статье об опасностях перестройки в России Дж. Гамбрелл (James Gambrell. «The Perils of Perestroika», Art in America, March, 1990) говорит, что советское искусство и критика конца 1980-х годов все еще находятся «в рабстве смертельно усталых традиций и ценностей даже в новых либеральных условиях. Официальная ментальность уравниловки, то есть приведения всего сущего к общему наименьшему знаменателю, распространилась на многие вновь появившиеся альтернативные организации, заполняя критический вакуум, созданный статусом кво в искусстве. Все члены Союза Художников считались равными и взаимозаменяемыми не только в смысле распределения доходов, но и в смысле качества их искусства. Определение «высокого искусства» и «низкого искусства» были анафемой, т.к. такой концепт намекал бы на существование социополитических различий, которых не должно было быть. Таким образом, официально санкционированная изобразительная продукция автоматически рассматривалась как «высокое искусство» равнозначной ценности. Преувеличенно сентиментальные, искусственно возбуждающие произведения, содержащие политическую подоплеку, были общепринятой темой дискуссий: от крикливых пропагандистских полотен — до работ старых мастеров. Если же возникал вопрос качественных различий, то он обычно сводился к технике художника. Не было критических категорий, способных выделить различные типы изобразительного искусства, то есть декоративное искусство, например, по отношению к работам, поднимающим более серьезные формальные проблемы, или же проанализировать их взаимодействие...».

Как обычно в американской критике, автор примитизирует проблему. Даже в годы сталинского искусствоведения была разработана четкая лестница неравенства — от лауреатов ленинско-сталинских премий до рядовых художников. Если официальная критика действительно функционировала на поверхностном уровне, то всегда существовала мыслящая искусствоведческая критика, близкая к художественным кругам, способная дать настоящий анализ, особенно в отношении старых мастеров. Традиционно глубокое русско-европейское искусствоведение существовало всегда с перерывом в 1930 — 1950-х годах — времени сталинского догматизма. Вспомним лишь структуралистскую школу Ю. Лотмана 1960-х годов, влившую живую кровь в послесталинское искусствоведение. Даже официозный журнал «Коммунист» публиковал в 1960-е годы статьи такого могучего и свободомыслящего искусствоведа, как Д.А. Лебит.

Начиная с московского аукциона Sotheby's в 1988 г. американские критики вылавливают далеко не лучшее из современного советского искусства, а то, что подпадает под диапазон их представлений об актуальном и модном, то есть произведения, соответствующие по внешним признакам современным американским течениям: постмодернизму, концептуализму, соц-арту и т.п. Несчастье в том, что многие советские художники и публика, поддавшись денежному соблазну, производят и потребляют кучу легковесных, малохудожественных работ с литературно-политическим текстом. Со стороны художников тон этому досадному ажиотажу задают Комар-Меламид, Булатов, Кабаков, и десятки молодых русских художников в России и за рубежом им подражают (Н. Овчинников, Г. Абрамишвили, К. Латышев, О. Петренко, К. Звездочетов, — и нет им числа). Теряя пластическую суть, работы становятся примитивными сиюминутными иллюстрациями текущего момента («Бараки» Н. Козлова, «Мыльница» К. Звездочетова, «Доллар и молоток» Сокова, «Зеленая выставка» , организованная М. Тупицыной).

«Нет ни малейшего шанса, что будет слишком много хороших советских художников на западном рынке. Три-четыре года назад было экзотикой посещать мастерские художников, в которые не ступала нога западного человека. В конечном итоге произойдет то, что советское искусство будет приниматься и оцениваться наравне со всяким другим искусством» (Струве, художественный критик).

Сан-Франциско

Начало 1990-х годов

11

АУКЦИОНЫ И ИНФЛЯЦИЯ ЦЕН НА ПРОИЗВЕДЕНИЯ ИЗОБРАЗИТЕЛЬНОГО ИСКУССТВА

(наброски к статье)

Критик Роберт Хьюз пишет, что картина Пикассо «An Lapin Agile» была продана в конце 1980-х годов на аукционе Sotheby's **всего** за $ 40,7 миллиона. Эти годы запомнятся и тем, что для большинства людей, особенно в США, весь смысл искусства сузился до размера его денежной стоимости. В выигрыше оказались торговцы, в проигрыше — все человечество, включая самих художников.

Американские музеи уже не в состоянии не только покупать работы известных мастеров, но даже одалживать их на временные выставки. Планируемая в начале 1980-х годов выставка «Van Gogh at Arles» в Метрополитэн Музее должна была быть застрахована в один миллиард долларов. В 1989 г. страховка бы стоила пять миллиардов, что сделало бы выставку неосуществимой.

Поль Меллон, многолетний меценат Национальной Галереи в Вашингтоне, замечает: «Все значительное в искусстве дорого до нелепости. Я просто отказываюсь платить эти абсурдные цены». Владельцы работ крупных художников перестали отдавать их в дар музеям из-за невыгодной налоговой ситуации, художники — то же самое. Музеи не растут, в культурной жизни образуется пробел. Картины собираются в рассредоточенных и малодоступных публике частных коллекциях.

Аукцион Sotheby's был солидной и уважаемой фирмой в Лондоне до 1983 г., пока его не купил гигант-торговец недвижимым имуществом Альфред Таубман, переместивший центр операций аукциона в Нью-Йорк, где прибыль аукциона только за 1988 г. составила $ 240 миллионов. По образному выражению Р. Хьюза: «К 1988 г., во время рейгановского десятилетия, аукционный зал был превращен в лихорадочно-экстравагантный бордель, где господа в черных бабочках и дамы в драгоценностях аплодировали выигравшим заявки («winning bids»), как бы они аплодировали знаменитым оперным тенорам».

При трудности разобраться в финансовых механизмах аукционов нельзя без изумления узнать, что в 1961 г. «Аристотель» Рембрандта был продан за $ 2,3 миллиона; в 1970 г. «Хуан де Пареха» Веласкеза — за $ 5,5 миллиона; в 1987 г. «Ирисы» Ван Гога — за $ 53,9 миллиона; в 1989 г. «Перемещение» де Кунинга — за $ 20,7 миллиона. Неужели Рембрандт в 1960-х годах менее ценен, чем Ван Гог в 1980-х? Или Джаспер Джонс, чья работа была продана в 1988 г., при его жизни, за $ 17,7 миллиона более важен, чем Веласкез в 1970-х годах?

В июне 1991 г. в Женеве на местном аукционе вдруг появился... подлинник Микеланджело, утерянный в XVIII в. Цена была на диво странная — всего

$ 2 миллиона. Абсурдность цены привела к тому, что непроданная работа анонимного владельца была просто убрана с продажи.

Неужели цены на произведения искусства уподоблены ценам на недвижимое имущество? Кто ответит на этот вопрос одураченной публике и бесправным художникам, 99% которых нищенствует?

Другой урон, наносимый аукционами — это проходящее через них большое количество подделок. В результате «перестройки» в России на аукционы поступает ряд сомнительных Поповых, Ларионовых, Лисицких, Малевичей, цены на которых идут в гору, а аутентичность становится все менее надежной.

Сейчас единственным регулирующим фактором в мире искусства является капиталовложение в произведения искусства. «Yo Picasso» («Автопортрет» Пикассо) был продан в 1981 г. за $ 5,8 миллиона, в 1989 — за $ 47 миллионов и, предположительно, будет стоить $ 81 миллион в 1995 г.

В игру купли-продажи с ее залогами, займами, демпингами смогут играть лишь гиганты-супермены торговли. Все остальные: публика, художники, недавно еще всесильные арт-дилеры, музеи — выходят из игры. Художественная индустрия с ее **товаром** вместо искусства — вот картина последнего десятилетия уходящего века. И центр этой индустрии последовательно переместился из Парижа (до 1950-х годов) в Нью-Йорк (1960 — 1980-е годы) и в Токио (1990-е годы). Так же, как разрушение окружающей среды уничтожает природу, художественный рынок губит искусство.

■

Аукцион Sotheby's 1988 г. в Москве — это не триумф советского искусства, которое вдруг «признали» на Западе, а тяжелое моральное испытание для русской культуры, которая в результате «перестройки» начала погружаться в месиво постмодернизма, теряя индивидуальность. Согласно статьям в американских журналах, все контакты с художниками были подготовлены задолго до аукциона. Посещения мастерских избранных московских художников западными дельцами были организованы Министерством культуры СССР в лице Павла Хорошилова. Он, если я не ошибаюсь, еще в 1970-е годы имел отношение к московскому Горкому Художников, в котором состояло членами большинство художников — нонконформистов.

Торговые дорожки между Москвой и американским рынком были проторены еще раньше А. Глезером, «хищнически захватившим все стили в свое собрание случайных работ» (Amei Wallash) и Э. Нахамкиным, бывшим учителем математики, талантливым коммерсантом, владельцем галерей и ресторанов, с недостаточным вкусом и знаниями. Он предпочитал художников с внешним техническим блеском и «сентиментальный кич» (по определению Комара-Меламида). С конца

1980-х годов у него начали появляться хорошие художники из Прибалтики и москвичи — В. Янкилевский, Н. Нестерова и др.

Аукцион, выхватив несколько имен из моря советских художников, внес сумятицу в умы и принес на московскую почву инфляцию цен и представлений об искусстве. Как следствие, десятки, если не сотни торговцев начали всеми средствами переправлять картины советских художников за границу, не считаясь ни с качеством, ни с именами. И сами художники толпами устремились на Запад, вооружившись нереалистичными идеями о ценах на Западе. Еще бы! При свете прожекторов, под аплодисменты и общее изумление аукционер провозглашает неслыханные для Москвы цены на работы Г. Брускина, четы Копыстянских и еще нескольких художников. «За работы с мифами платят мифические суммы», — сказал советский журналист Агафонов.

Приехав в США, Г. Брускин говорит без тени иронии: «В Советском Союзе мы жили без достаточной информации... там была черная дыра в искусстве, все было задавлено. Пастернак переводил, Ахматова замолчала, Тышлер работал декоратором. Глубокий провал... Теперь мы имеем возможность нормальной художественной жизни... На Западе культура развивается стремительно...».

Говоря о начале жизни «на свободе», ему вторит И. Копыстянский: «Это конец жизни для художника, если он проводит ее официально в качестве керамиста, делающего пепельницы и т.п., чтобы быть в рамках закона».

О, наивная неосведомленность советских идеалистов! Тысячи их собратьев в США были бы безмерно счастливы делать переводы за деньги или иметь оплаченную работу декораторов и керамистов.

Сан-Франциско

Середина 1990-х годов

СУДЬБА РОССИЙСКОГО ХУДОЖНИКА–ЭКС–ПАТРИОТА В США

Попав в демократическое американское общество, где «каждый мальчишка-разносчик газет может стать Президентом», художник из России прежде всего с недоумением обнаруживает непреодолимую стену между собой и зрительской аудиторией. С одной стороны, каждый третий американец (дизайнер, парикмахер, повар, продавец) считает самого себя художником. С другой стороны, каждому американцу известно, что настоящее искусство — это бизнес, которым занимаются престижные галереи и критики престижных художественных журналов, где речь будет идти о неприступном круге десятка-другого имен, куда даже Леонардо да Винчи, окажись он сегодня в США, навряд ли смог бы пробиться без тяжелой артиллерии больших денег или связей.

Убедившись в невозможности быть представленным не только престижной, но и просто хорошей галереей, бывший российский художник обращается к торговцу картинами — выходцу из России же. Очень скоро оказывается, что если посредственный американский галерейщик еще как-то руководствуется быстро преходящей эстетикой сиюминутной моды, то торговец-эмигрант не обладает даже и этим зыбким ориентиром, а идет напролом к заработку любой ценой.

Расставшись (обычно после больших потерь) с торговцем-соотечественником, наш художник в отчаянии пытается объединиться со своими собратьями — американскими художниками. Однако, американский художник — это индивидуалист, которого мало интересует групповая деятельность: чтобы организовать цех, нужно иметь какой-то объединяющий принцип, но принцип в сегодняшнем американском искусстве только один — придумать нечто, что возвысит вас над другими. Большинство американских художников — по статистике их 450 тыс. — не имеют специальной художественной подготовки, обычно подразумевающей какую бы то ни было традицию, а традициям, особенно европейским, в США объявлена война. Средний американский художник свято верит, что если он придумает какой-нибудь ловкий трюк, стилевой, технологический, концептуальный или просто сумеет развеселить своих зрителей, то он обязательно выскочит «в дамки». Недаром изобразительное искусство в США перечисляется в рубрике «искусство и развлечение», куда также входят рестораны, стриптизные выступления и т. п. Изобретение индивидуального художественного языка возведено в абсолют, при этом забыта печальная история с Вавилонской башней... Идея художественного изобретательства была нововведением американских художественных критиков конца 50-х годов, ее суть в разобщении художников и дезориентации потребителей искусства. Эта разрушительная идея исходит от mass media, то есть от тех, кто формирует массовую культуру и не только в США. «Интернационализация» искусства, создание этакого гомогенизированного варева, где не отличишь русского художника от американского или японского, где растворятся и исчезнут остатки

национальных и религиозных культур — вот что вытекает из идеи индивидуалист-
ского изобретательства.

Объединение с американскими художниками не срабатывает. В результате описанных трех ступеней своего американского опыта русский художник ос-
танавливается перед выбором:

- продолжать ли свою национальную культуру (имеется в виду культура
  страны происхождения),
- броситься ли в «интернациональный котел»,
- продаться маммоне мелкокалиберного коммерциализма.

14

Если художник выбирает первый путь, то будучи оторван от корней и среды, он обрекает себя на изоляцию, одиночество, нищету. Если он выбирает второй путь, то уподобляет себя тысячам других бедолаг, зависящих от непредсказуемых зигзагов моды, и шанс на успех будет микроскопически мал. Третий путь не есть победа ни для кого.

Пройдя через стадии недоумения и отчаяния, русский художник большей частью депрессивно замыкается в себе. Достаточно вспомнить судьбу Н. Фешина, А. Горки, недолгое пребывание в США М. Шагала в первой половине нашего века, как и судьбу десятков художников-беженцев из России, живущих в Нью-Йорке в наши дни, чтобы не иметь никаких иллюзий насчет возможности преуспевания русского художника в США.

Что касается выходцев из других стран, особенно из Европы, то и для них не распахнуты гостеприимно двери галерей и музеев США. Пожалуй, особое положение занимают художники-латинос. Обе Америки — родина их предков индейцев. Даже находясь в Северной Америке, они не оторваны от корней своей национальной культуры и с той или иной степенью успешности продолжают свои традиции. Немаловажно, что их поддерживает государство как представителей одного из угнетенных национальных меньшинств.

Сан-Франциско

1994 год

15

ТРАДИЦИЯ И НОВАТОРСТВО В ИЗОБРАЗИТЕЛЬНОМ ИСКУССТВЕ

«Ибо невидимое Его, вечная сила Его
и Божество, от создания мира через
рассматривание творений видимы»
(Римлянам 1:20)

I. БОЖЕСТВЕННЫЙ АРХИТЕКТОР

«**В** начале было слово» (от Иоанна 1:1), которое, облекшись в конкретную форму и сокрывшись в ней, дает нам прообраз творца и творчества на всю длину времен. По внесении слова (информации) в хаос, т.е. безвидность-пустоту-тьму, мир получил оформленность-заполненность-свет. Идея трансформировалась в структуру. Без слова-идеи не существует структуры.

Лучшая из написанных книг начинается с четкой апологии формы, конструкции. Здесь дано начало времени (дни, ночи, годы), свету («и отделил Бог свет от тьмы»), пространству (небо, суша, вода), жизни («и сотворил Бог всякую душу») и самому человеку, который «стал душой живою».

Тысячи лет понадобились человеку, чтобы осознать структуру, заложенную в нем и окружающей его природе. Тысячи лет роста, лишений и войн. Тысячи лет понадобились, чтобы Андрей Рублев сделал свою «Троицу», а Микельанджело — потолок Сикстинской Капеллы. Человеческий ум должен был подняться на определенную ступень, чтобы охватить, определить, обозначить эту структуру-гармонию в отличие от неоформленности-дисгармонии.

Художник, который сам также сотворен по образу и подобию Его, получил в Первой Книге Моисеевой «Бытие» программу для себя. Программа эта определенна и недвусмысленна. Она не предполагает растерянности, неоформленности или психической неясности сознания. Именно и точно, в шесть дней, сотворяет Господь мир. Поименно, точно и последовательно, сотворяет Господь из не сущего все сущее, начиная с неба, земли, света — и кончая Адамом и Евой.

Бог сначала планирует («И **сказал** Бог: да будет твердь»). Затем Он творит согласно плану «И **создал** Бог твердь». Небесная твердь становится духовной опорой в противовес материальному, земному. Размещение светил на тверди небес, чтобы «управлять днем и ночью и отделять свет от тьмы», имеет ту же цель, т.е. отделение оформленности небесного от недооформленности земного. Господь работает с контрастами: свет — тьма. Господь работает с повторами пар, т.е. работает в гармонии: свет — тьма, день — ночь, твердь — вода, солнце — луна. Господь экспериментирует: «И **увидел** Бог свет, что он хорош». Как художник Бог пробует, отбирает лучшее: «И **отделил** Бог свет от тьмы».

Два главных вида творчества распознаются в актах сотворения мира (1). Первый, создание материи из нематерии, изначальных форм из неформ, доступен только Богу. Актом создания живых существ «по роду их» и человека «по образу Своему» Господь дает пределы творчества человека-художника: воплощение заданных форм, «чтобы возделывать его [мир — А.Р.] и **хранить** его» (Бытие 2:15). Это второй, ограниченный вид. За преступание положенных пределов человек подвергается наказанию.

Что бы ни делал художник, Божественный прообраз должен содержаться в его работе, ибо Бог видит себя в вещах и созданиях вне пространства, вне возраста, вне истории, во вневременном несущем образ свете Lumen, первоосновном свете, изначальном от творения мира (2), отсветы которого Lux освещают земные предметы. Но земной художник связан пространственно-временными ограничениями, форма не создается им. Как чуткий перцептор он воспринимает доступный ему строй форм из Божественной космографии и геометрии пространства, особая концентрическая структура каковых проявилась в изобразительном искусстве в системах прямой и обратной перспективы. Мир Присредиземноморья с его моноцентричностью и иерархичностью всего: Божественного пространства, географии, государства, города, храма, иконы, человека — произвел искусства, построенные на этой концентрической структуре. Понятие «точек схода» в зрительной перспективе, используемой художниками, — квинтэссенция этой системы.

В средневековой обратной перспективе лучи зрения, исходя конусообразно из обоих глаз зрителя, достигают плоскости иконы и не преломляясь, не уничтожаясь там, но обогащаясь образом иконы, получая высшую информацию, устремляются **через икону** в необъятную бесконечность к Божественному прообразу. В иллюзорной перспективе Ренессанса конусообразный луч одного глаза зрителя достигает картинной плоскости, преломляется там, как в зеркале, и строит воображаемый конус, подобный зрительному конусу смотрящего, упирающийся в одну мертвую точку схода. В искусстве Ренессанса Бог постепенно замещается вначале Божественным, правда, человеком, а потом и просто человеком-индивидуумом. В отличие от средневекового искусства, мы находим в искусстве Возрождения лишь угасающее с веками напоминание о Божественном откровении; гении Ренессанса открыли дорогу к элиминации человека из искусства XX века.

∎

Божественная информация ослепительно совершенна, бесконечна и непознаваема для раздробленно-индивидуалистического разума человека сегодняшнего дня. «Там» истина едина, «здесь» лишь ее осколки», — писал священник П. Флоренский, говоря об антиномичности всего земного. Только на сверхрассудочном уровне духовного подвига может антиномия быть разрешена. Многие ли художники способны на такой подвиг сегодня? «Принцип внутренней необходимости» В. Кандинского, когда все, вызванное ею, прекрасно, и рано или поздно будет признано таковым, принадлежит высокой духовности. Подвигом было искусство П. Филонова, призывающего, ищущего и «захватывающего» крупицы Божественной информации в каждой точке своих рисунков и холстов.

Есть старая притча о рабочем, толкающем нагруженную тачку где-то в Шартре в XII веке. На вопрос прохожего, для чего это он толкает тачку, рабочий гордо говорит, что «он не тачку толкает, а строит Шартрский собор». «Когда каменщик начинает обтесывать камень, его цель не обтесывание камня, а возведение и завершение дома» (Мастер Иоханн Экхарт). Художник работает не ради искусства, но **при помощи искусства** для духовного усовершенствования.

Художник готовит все вещи, что он делает, и самого себя, к возврату к Богу — в этом значение искусства по Мастеру Экхарту. Все искусства предполагают стремление к совершенству, когда все художественные элементы полностью идентичны высшему замыслу. Когда идентичность будет достигнута, необходимость в искусстве отпадет, и можно будет сказать, как говорят мусульмане: есть лишь один истинный художник (mussavir) — Бог. Искусство закончится, когда мы увидим истину «лицом к лицу» (1 Коринфянам 13:12).

II. ИНФОРМАЦИЯ ИЗ БИБЛИИ И ЕВАНГЕЛИЯ И ЕЕ ОТРАЖЕНИЕ В ИЗОБРАЗИТЕЛЬНОМ ИСКУССТВЕ

Могущественный поток информации, исходящий из Святого Писания на всех его уровнях, создал иудео-христианскую культуру. Отдельные эпизоды Библии буквально оповещают о передаче информативной, трансформативной и трансфигуративной энергии. Первоначальный акт «сотворения мира из ничего есть дело любви, всемогущества и мудрости Божией. В бытии Бог отражает свой образ» (Прот. С. Булгаков. ОЧЕРКИ УЧЕНИЯ ПРАВОСЛАВНОЙ ЦЕРКВИ. Ymca-Press, Paris, 1985). Создание, сформирование человека из праха, бесформенности, произошло путем «вдувания в лицо человека дыхания жизни». Бог = Слово = Жизнь = Свет. «И жизнь была свет человеков». Значит Бог сделал часть себя — человеками. Он сделал это сначала по **образу** Своему, т.е. по Своей концепции, а затем и **подобию** Своему, по подобию жизни и по структуре жизни, вселенной, космоса, материи. Человек имеет и отражает в себе все: свет и тьму, небо и землю, твердь и воду, растительное и животное.

Путь восприятия высшей информации труден. Пройдут века, прежде чем человек узнает, что ветхозаветное чудо трех ангелов под дубом Мамрекийским — это чудо Новозаветной Троицы, источника «неиссякаемой бесконечной любви»

(Священник П. Флоренский о «Троице» Рублева). Пройдут века, прежде чем мы узнаем, что жертвоприношение Авраамом Исаака символизирует и предвещает распятие Христа.

В одном из эпизодов Книги «Исход» Господь передает через Моисея свой Завет и Заповеди народу Израиля. (Знак информированности Моисея для окружающих — сияние его лица). Информация, заключенная в словах Господа и в скрижалях, доходит до народа с трудом (3), т.е. процесс трансформации тяжел, затягивается во времени, чреват идолопоклонничеством, восстаниями, кровавыми репрессиями (4). Чем тяжелее процесс восприятия информации и трансформации, тем крепче его плоды: шутка ли, превратить племя полудиких кочевников, «необузданный языческий народ, на который никто не садился, то есть ни закон, ни страх, ни Ангел, ни Пророк, ни Писание, но только один Бог Слово» («Слово Св. Епифания Кипрского на Вход Господень в Иерусалим». Цит. по книге: Инок Г. Круг. МЫСЛИ ОБ ИКОНЕ. Ymca-Press, Paris, 1978) в метафизически избранный народ!

Когда время пророка Илии на земле истекло (4-я Книга Царств), Господь забирает его к Себе. Но нужен преемник, ибо Слово Божие не должно исчезнуть. Выбор падает на бесхитростного и болезненного пастуха Елисея. Милоть (накидка), павшая с Илии при вознесении, явилась знаком и, возможно, носителем новой пророческой силы, данной Елисею, который не только успешно руководит военными действиями израильских царей, но и предвосхищает некоторые чудеса, сотворенные впоследствии Иисусом Христом (воскрешение ребенка, умножение хлебов и т.п.). Настолько велика сила Духа, сошедшего на Елисея, что даже по его смерти прикосновение к его костям могло оживить человека.

Эпизод об Ангелах и пророках. В Книгах Пророков («Книга Пророка Иезекииля») детально и драматически описывается передача информации от Божественного Ангела к человеку-Пророку. Предвестническое появление Ангела имеет характер космического действа. В полубессознательном состоянии, недвижный и немой, увидел пророк: «... и вот рука простерта ко мне, и вот в ней — книжный свиток» с Божественным Посланием. Пророк открывает уста и «напитывает чрево свое» (Душу) Божественным свитком-информацией. Трансформированный, с «алмазным челом», затем он встает и идет к народу Израиля дабы продолжать предначертанное перерождение этого избранного, но мятежного народа.

Если в Книгах Старого Завета Господь передает информацию людям через избранных Пророков, то в Книгах Нового Завета, с обновленной силой, Господь является в виде Сына Своего, Лично уча, Лично погибая, Лично возрождаясь. Огромная страстность этого учения сформировала европейскую культуру, искусство, традицию.

122

В картине Пьеро делла Франческа «Воскресение» изображается чудо трансформации — восстание Спасителя из Гроба, но ведь чудом является и сама картина, и наш акт восприятия ее, и трансформация нас самое. Могла ли быть сделана подобная работа без трансформации самого художника? Без трансформации всей его создавшей культуры? Без традиций этой культуры? И страшно представить, что может случиться с этой культурой, если традиции ее будут оставлены или преданы, как это случилось с американским искусством, порвавшим с европейской традицией в 50-е годы XX века.

■

Создание человека в «Книге Бытия» есть момент становления слова плотью. Отец создает творение, не только отражающее Его, но и вмещающее Его. Адам — Сын Божий, символ будущего Спасителя, но и Адам — человек, воплощение универсума в его героическом движении и изменении. Такого человека, предсуществовавшего в Божественном концепте, как никто другой из художников, реализовал великий Микельанджело. В «Сотворении Адама» на потолке Сикстинской Капеллы Бог создает человека, благословляет его, дав ему «дыхание жизни», и этим трансформирует его: «и стал человек душою живою». Фреска Микельанджело сама представляет Слово, воплощенное в гармонию формы. То есть Микельанджело совершает свой художнический подвиг творения, параллельный Божественному, в процессе которого **его** Адам обретает изобразительную гармонию. Это была одна из задач художника — высвободить гармонию из хаоса, форму из бесформия.

Универсальные законы гармонии заложены в человеке. Если человек действует вне или против этих законов, Гармония удаляется. Бог-Демиург, небесный художник и архитектор, заполняя пространство своим творящим жестом, запускающим вселенные и созвездия, вдохновляет земного художника и архитектора. Божественный Дух формирует фигуры, позы и жесты микельанджеловских героев в его росписях и скульптуре, определяет его архитектурные замыслы.

Следуя предписаниям «Первого Послания Св. Ап. Петра», который увещевает человека быть слугой Бога, «живым камнем» в Его духовном Доме или Храме, Микельанджело в своих архитектурных сооружениях неизменно обращается к храмовому характеру библейского космоса. Так, в Palazzo dei Conservatori бездонный мрак нижнего этажа, вырастающего из бесплодной каменистой почвы, с семью открытыми пространствами-порталами, символизирует «тьму над бездною». Архитрав же, карниз и балюстрада символизируют слова: «Дух Божий носился над водою». Окна верхнего этажа — музыкальный аккорд царства душ, ибо каждая душа — окно в высший мир. Все здание вместе — метафора универсальной гармонии.

В знаменитой лестнице библиотеки Laurenziana искусствоведы видят «освобождающий жест бегства от трудных времен, от самого времени, торжественный подъем к Бесконечности» (R. Schott. MICHELANGELO. Tudor Publ. NY, 1963). Лестнице зрительно предшествует мрачная архитектура окружающих ее стен с давящими колоннами с темными консолями и лепниной, ложными окнами, которые «как непреклонные и мрачные стражи охраняют вход» в библиотеку. Но сама лестница с ее вдохновенными изгибами и спиралями освобождает, по мере восхождения по ней, от всего преходящего. Влияние на архитектора Pico della Mirandola, интерпретатора Пятикнижия, и даже еврейских ученых-каббалистов с Иберийского полуострова находят здесь. Начиная движение вверх («восхождение с земли на небо»), восходящий поднимается по одному из трех дорических маршей, совокупно символизирующих Троицу. Поднявшись на небольшую площадку перед верхним главным маршем, он достигает «места средоточия», последней остановки перед «царством гармонии». Две поддерживающие волюты, близкие по совершенству скульптурам Дня и Ночи из памятника Джулиано Медичи, завершают триединый пролет и вводят в верхнюю заключительную секцию лестницы — Троица воссоединяется в Единство. Пять верхних ступеней верхней секции — символ «пяти лучей ауры Сына Божьего» — поднимающийся достигает совершенства, он перед «дверью в рай» (Илл. 16).

В обратном движении («от Бога к земле») (5), нисходя с пяти верхних ступеней, человек вновь оказывается в «фокальном пункте». Перед ним три марша, три пути, и от спускающегося зависит, какой из них выбрать. Один, средний, — продолжение гармоничного верхнего («Божественный путь»), два боковых без перил внушают мысль о всегда присутствующей опасности отпадения и падения человека. Нисходящий по центральному семиступенному маршу достигает «места отдыха» — трех скругленных ступеней, что есть опять символ Троицы: путь вниз — это путь вверх, ведущий от Бога к Богу (6).

∎

Из Теории информации известно, что информация меняется в зависимости от воспринимающего ее, его положения во времени и пространстве, его состояния, его предыдущей информированности и многих других факторов. Поэтому заложенная информация может не соответствовать ее прочтению. Как согласовать это с первоначальным импульсом информации, побудившим художника к созданию работы, и тем объемом мысли, что он сам в эту работу вложил? В виде примера возьмем тему «Изгнание торгующих из храма» и ее интерпретацию Эль Греко на протяжении его карьеры. В Евангелии об этом рассказано в нескольких строках, суть каковых: «И Дома Отца Моего не делайте домом торговли» (от Иоанна 2:16). В XVI в. эта тема стала аллегорией контрреформации, но сам художник, как справедливо считают его биографы, постоянно возвращался к этой теме, символизирующей его личное отвращение к тем, кто превращает храм религии или искусства в рынок. Большинство зрителей нашего времени увидят в этих картинах Эль Греко лишь образцы музейного искусства. Нужна определенная подготовка, т.е. **усилие**, чтобы почерпнуть из картины больше, хотя бы на среднем искусствоведческом уровне. Нужно еще больше информированности и еще более глубокая художественная подготовка, чтобы воспринять эту работу на художественном уровне. Наконец, понадобится очень большое усилие (или наоборот, крайняя чистота сердца), чтобы воспринять через картину ее начальную — конечную идею «И Дома Отца Моего не делайте домом торговли». Только тогда возымеет смысл все: Завет Господа, жизнь и творчество художника, жизнь того, кто это воспримет.

III. ЗНАЧЕНИЕ КАНОНА. ТРАНСФОРМАЦИЯ ПРОИЗВЕДЕНИЯ И ЗРИТЕЛЯ

Божество от глубины истории последовательно изображалось абстрактно-геометрически, териоморфно, антропоморфно. Оно не имело сентиментальных или драматических черт. Средневековое изобразительное искусство нашло золотую середину в изображении Божества, духовность заговорила на человеческом языке, не опускаясь на повседневный уровень.

Итальянский Ренессанс был прекрасен, но он гуманизировал и сентиментализировал изображаемое Божество, способствуя его дальнейшей вульгаризации и уничтожению, а эпоха Beaux-arts преподнесла показное понятие — **эстетика**, «aesthesis», т.е. чувствительность, раздражительность, биологическое качество, исключающее интеллектуальную ценность искусства. Эстетизированное божество — уже не Божество.

■

Когда средневековому художнику, точнее цеху художников-иконописцев, заказывалась икона, то процесс был следующим: от Св. Писания — к заказчику — к цеху иконописцев — к иконе — к заказчику — последующая жизнь заказчика и поколений владельцев иконы с иконой, их трансформация и трансформация самой иконы. Приняв задание от заказчика, иконописцы приступали к работе. Это могло быть просто и повседневно, т.к. уже существовал предыдущий образец, канон, рисунок, который лишь нужно было перевести на новую доску и раскрасить. Подготовка доски делалась одним мастером, перевод рисунка другим, поэтапная живопись, золочение, лакировка — третьим, четвертыми и т.д. Художники не оставляли своих имен, они работали анонимно. Как сказано у Платона: «Более будет сделано, лучше сделано, и с легкостью сделано, когда каждый делает только одно дело, соответствующее его таланту».

В Средние века человеческая индивидуальность полагалась не целью, а средством, т.к. весь мир и человек сделаны по принципу иерархии: дух, душа, тело. Для приверженца христианства, индуизма, буддизма и др. религий невозможно сказать «это моя работа», ибо Христос говорил: «Я ничего не делаю от себя» (от Иоанна 8:28). Кришна сказал: «Художник, т.е. **тот, кто пытается постигнуть**, не может формировать, исходить из концепта, что он создатель». Будда: «Сказать «я автор» может тот, кто еще не созрел» (цит. по кн. A.K. Coo-maraswamy. CHRISTIAN AND ORIENTAL PHILOSOPHY OF ART. Dover Publ. Inc. NY, 1956). «Все прекрасно, и благо, и истинно, но — когда «по чину» (7); все безобразно, зло и ложно, — когда **само**чинно, **само**вольно, **само**управно, «по-своему» (Священник П. Флоренский. СТОЛП И УТВЕРЖДЕНИЕ ИСТИНЫ, т. 4 Ymca-Press, Paris, 1989, стр. 177). Индивидуалист не знает прошлого и не видит реальности настоящего.

Работа по канонам, составленным церковными соборами на основе икон Св. Ап. Луки (по преданию), освобождала иконописца от бесконечных индивидуальных поисков, которые составляют чуть ли не суть работы художника XX века. Повторяемый столетиями, предписывая и ограничивая, канон очищался, углублялся, обогащался. То же в странах Востока. По сей день остаются авторитетными знаменитые «Шесть принципов», опубликованные в Китае в V в. н. э., говорящие о том, что при помощи традиционных форм (ксинг) художник передает имманентный Божественный Дух (шен). Копирование старых образцов использовалось для обучения художников и для того, чтобы каждый художник был хранителем традиции. В канонах Индии, Китая, Японии равновесие между традицией и проникновением в натуру поощрялось, а приближение к жизненной иллюзии порицалось и считалось циничным обесцениванием самой жизни; например, иконографическое («ангельское») изображение цветка лотоса в искусстве Индии превосходит ботаническое («натуральное») изображение этого цветка по силе прообраза и по архетипу.

По инерции XIX века и сегодня профессора художественных школ говорят о Средневековом искусстве как о примитивном и ограниченном, когда художники не знали «научной» перспективы, пропорций и анатомии. В действительности, художники Средневековья имели знание другой, метафизической и канонической, перспективы, пропорций и анатомии. Отсутствие канонов, или в наше время, традиции, неограничение художественной деятельности и средств уничтожает критерии и уводит художника в дурной мрак волюнтаристского разрушения. Это знали крупные художники и нашего времени. Жорж Брак: «Ограничение художественных средств создает стиль, очищает форму, стимулирует творчество». (THE ART OF PAINTING IN THE 20TH CENTURY. NY, 1965). Джорджио Де Кирико (со слов Maurizio Fagiolo dell'Arco): «Живопись — это активный объект, соотносящийся с другими и приобретающий реальную ценность благодаря историческим взаимосвязям» (Pere Gimferer. GIORGIO DE CHIRICO. Rizzol. NY, 1988). Фрэнсис Бэкон: «Великая живопись содержит в себе всю другую живопись, бывшую до нее, проводит связь с коллективной памятью расы» (John Russel. FRANCIS BACON. Thames-Hudson, NY, 1985).

Главная функция искусства в Средние века состояла в выражении и передаче идеи. Средневековое искусство было более озабочено природой вещей, чем их внешностью, которая скорее скрывает, нежели обнаруживает. Подлинное искусство вообще стыдится выпячивать то, **как** сделано, техническую сторону. Эксгибиционизм декадентских художников нашего времени с их кричащей технологией и техническими увертками был бы непонятен и чужд художнику Средневековья. Средневековое стремление к типизации привело в искусстве к тому, что явление, человек, ангел, и т.п. изображались не «каковы они есть», но каковыми им долженствует быть, т. е. «бесстрастно стоящими выше случайных или временных манифестаций» (A.K. Coomaraswamy. Ib.). Проникнутая Духом форма приближается к абсолюту. Канон — это абсолют. Искусство отвлеченно взятого средневекового художника — это движение к абсолюту. Возможно, абсолютизм вообще сидел в душе средневекового художника, иконописца в частности. (Возможно, это восходит к временам египетских фараонов, когда человек изображался маленьким, фараон большим, а Бог — огромным?). Возможно, это всегдашнее желание, чтобы в изображении было заложено то, что видно, но не каждому: «Видевший Меня видел Отца» (от Иоанна 14:9).

Канон снабжал художника и зрителя набором символов, известных обоим. Человек Средневековья знал символику креста или голубого цвета одежды Богоматери. Сегодняшняя символика раздроблена и индивидуализирована. Человек сегодняшнего дня, встретив изображение креста, не обязательно поймет его как метафизический символ структуры мира, но, возможно, как знак перекрестка дорог, как медицинскую эмблему и т.п. То же с символикой цвета, например, «голубая тревога» в американской противовоздушной обороне и т.д.

Религия конструирует каноны. Каноны с течением веков дают искусство. Без догматов-канонов мы не имели бы всей истории древнего и средневекового искусства Европы и Азии. Как скоро искусство перестает служить религии как высшему проявлению человечности, оно немедленно начинает разрушаться.

Итак, в результате работы целого оркестра мастеров над иконой последняя достигала значительных, и иногда исключительных, художественных вершин. Затем икона освящалась. С этого вроде бы нематериального акта начиналась сложная жизнь иконы. С одной стороны, как материальная жизнь доски и красок, подверженных изменениям, потемнению, трещинам, подновлениям, пожарам, тлену. С другой стороны, жизнь взаимоотношений между иконой и молящимися перед ней, беседующими с Господом через икону, видящими в ликах иконы многое, о чем иконописец мог даже не подозревать. Икона трансформировала молящегося и приобретала новое содержание сама. Невыразимая и невероятная для невежественного человека нашего времени, происходила духовная трансформация верующего (8) посредством иконы. Если икона (фреска, статуя) находились в храме, то трансформация всех и всего, находящегося в храме, усиливалась в результате храмового действа, храмового общения многократно сильнейшего, чем «социальное общение» Шкловского (9).

Смотрение человеческих глаз — это не бесследный акт, оно оставляет след на иконе или другом произведении искусства. Следы целых поколений насыщают и обогащают для нас историческое прошлое. Почему мы так волнуемся, оказавшись у Стены Плача или на Капитолийском холме? Только ли потому, что читали о них в книгах и выпестовали их в юношеских мечтах? Время и информация спрессованы в них. Взгляды и надежды миллионов людей остались в них. Миллионы ушедших душ общаются с нами через них. Поэтому так трагична физическая гибель произведений искусства, ибо с их уходом уходит земная память о тех, кто на них смотрел и мог бы смотреть после нас. (Не потому ли так бездушны улицы американских городов, где дома — лишь машины для бизнеса или жилья? И если гибель «Данаи» Рембрандта в Эрмитаже в 1980-е годы для многих трагедия (10), то будет ли кем-либо замечена «смерть» какой-нибудь «installation» Шерри Левин, любой работы Юлиана Шнабеля или соц-артовского кунштюка Комара-Меламида?).

Материальное старение произведений искусства натурально. Попытка «омолодить» их с привлечением «средств современной науки» оканчивается так же печально, как попытка омоложения стариков с применением тех же «современных» средств. Достаточно посмотреть на санкционированную «реставрацию»-разрушение фресок Микельанджело в Капелле Папы Сикстуса IV в конце 80-х годов, где огромные куски первоначального рисунка фигур гибельно уничтожены, удалены, как якобы «позднейшие записи», а цвет приобрел тона, флиртующие с Микки Маусом Диснейленда и Роя Лихтенштейна. Вся фреска предстала как бы раздетая догола, наподобие обнаженной холодности интерьеров современных американских церквей; ее обеднили, оскопили; культурному наследию, памяти Микельанджело, всему человечеству нанесена кровоточащая рана (11). Можно скорее говорить о консервации старинных памятников, нежели о реставрации их. Многочисленные записи и переписи икон, фресок, цветных рельефов, сделанных до века реставрации, вошли в их кровь и плоть, стали их частью, ими самими. Их нельзя удалить безболезненно. Они говорят, просвечивают друг из-под друга. Реставратор, убирающий скальпелем эти слои, убирает вместе с ними и взгляды сотен душ, впитанные этими красочными слоями.

IV. АВАНГАРД НАЧАЛА XX ВЕКА И НОВАТОРСТВО КОНЦА XX ВЕКА

Аналитическое искусство начала XX в., в сущности, пользовалось частными достижениями мастеров прошлого, не порывая с прошлым и не преодолевая его. Оно «выуживало» отдельные моменты из искусства прошлого, акцентировало их и преподносило в качестве самостоятельных явлений. Эти открытия ценны для нас своими напоминаниями или воспоминаниями.

Сезанн, родоначальник поколения аналитиков XX века, выросший из импрессионистических ощущений сетчатки глаза зрелого Тициана, начал строить из своих «кирпичиков» «вторую природу» a la Пуссен и двинулся назад (12) к всепроникающему архитектоническому концепту того же Тициана и его предшественников.

Когда говорят об авангарде, чуть ли не автоматически возникает имя Пикассо. Американский художник Рой Лихтенштейн в интервью, напечатанном в «Art News» в мае 1991 г., сказал, что «Пикассо — это величайшая сила XX столетия, потому что он самый изобретательный [художник]». Осмотр достаточно полной выставки Пикассо в Museum of Modern Art в Нью-Йорке в 1980 г. дает возможность сделать и другие заключения.

Имитируя импрессионистов и Тулуз-Лотрека, Пикассо «вывел» из них свой «голубо-розовый» стиль. Подобно своим иберийским предкам, соединившим мавританский стиль и готику, Пикассо, основываясь на африканской и иберийской скульптуре, пришел к кубизму. Подражая Сезанну («Портрет Clovis Sagot», «Шляпа Сезанна» и др.) и заимствуя у Брака, Пикассо приходит к «кубистическо-сегментному» стилю и конструктивистским коллажам и скульптуре. Увидев работы Сера, он использует и пуантилизм («Отдых крестьян» по Ле Нэну). Греки и этруски сделали его классический стиль. «Живопись никогда не была ничем иным, как искусством имитации» (Maurice Raynal. MODERN PAINTING. Skira, 1960), — сказал сам художник. Никого и ничто не пропускает он, ни достижения типографского дела, ни самолетостроение, ни русский балет, ни войны, ни коммунизм. При этом вся история европейского искусства — от Древней Греции до наших дней: Кранах Старший, Рембрандт, Веласкез, Матисс — всегда остаются с ним. Он как бы доводит всех и вся до крайней степени: а что будет, если продолжить Сезанна до почти абсурда? Кранаха? Рембрандта?

Начиная с 1925 г., мастер позволяет себе играть с огнем, который опалит художников будущего: «Минотавр» (Zervos VII, 135), «Пловец» (Zervos VII, 419), «Акробат» (Zervos VII, 310), «Фигуры, занимающиеся любовью» (Zervos VIII,107) и др. открывают дверь бесам в искусство. Гениальный имитатор, гениальный похититель, гениальный шарлатан, одурачивший и соблазнивший последующие поколения художников (особенно американских, таких, как Лихтенстайн) идеей, что «все можно», Пикассо гениально развивает традицию и, приближаясь в своем творчестве к моменту, когда следующий шаг значил бы выход за пределы искусства, всегда умеет остановиться, я назвал бы это «остаться в Европе». Принято говорить о Пикассо как о революционере и новаторе. Сегодня ясно, что он, за небольшими оговорками, является хранителем традиции. Любой его экскурс в «новый стиль» — возврат к традиции, ее акцентирование.

Методика «открытий» в искусстве не нова. Археологи времен Рафаэля открыли древних греков. Шампольон открыл Древний Египет и для художников. Делакруа в «Дневнике» сказал, что стремление создать новый строй форм — это химера. **Развивать** — другое дело. Сам он сильно двинулся вперед в области формы и цвета, черпая у мастеров итальянского Возрождения, и без него не было бы Сезанна и Пикассо или **такого** Пикассо. Экспериментаторство тоже открыто не в наши дни, взять хотя бы Леонардо да Винчи. А не от Микельанджело ли у Делакруа, Пикассо и кубистов — воля к постоянным метаморфозам?

Начиная с Делакруа, Сезанн, Пикассо, Джакометти (использовал скульптуру этрусков) вошли в классику европейской культуры, потому что сила традиции главенствует в их творчестве. Даже стоящий над пропастью Маринетти (13), конечно, воплотился в «Идущем человеке» («Движение в пространстве»*) Боччиони, вычленившем и еще раз напомнившем о греко-микельанджеловском контрапункте в чистом виде. Стремление Сезанна «воплотить» в конечном холсте стремление к бесконечному трагично, если бы не догма традиции, защищавшей и спасавшей его от вероятности быть погребенным под нагромождениями, горами его «кирпичиков». Отказавшись от традиционализма, художники конца

---

* Полное название: «Уникальные формы продолженности в пространстве».

XX века подпали под доктрину отказа от традиций, и защиты у них нет. Художник не может не наблюдать жизнь, это делает его творчество рассудочным, но художник абсолютно не может заниматься творчеством, существовать без заданного канона, традиции, формулы (14).

Традиция — это память. Древнее дохристианское искусство связано с культом предков. Памятники, памятование, согласно Свящ. П. Флоренскому, значат «вечное существование», т.е. спасение, победу над смертью. «Жизнь есть творчество. Но... творчество... есть пересоздание людей по своему Божественному образцу... неукротимое искание вечной памяти» (Свящ. П. Флоренский. СТОЛП И УТВЕРЖДЕНИЕ ИСТИНЫ). Надгробные плиты древних греков изображали безнадежно-примиряющую встречу близких в загробном мире. С помощью искусства древние греки вспоминали умерших. Память есть основная познавательная функция разума. Все познание есть память. Творчество — воссоздание представлений, создание во времени символов вечности, касание надвременной метафизической реальности, Божественной мысли. Память есть мысль. Творчество есть мысль.

Художник никогда не является свободным. Ожидание, размышление, созерцание, собирание — предшествуют действию. Композитор записывает мелодию, которая звучит вне или в его мозгу. Актер — имитатор заданных ему движений и речи. Визуальный художник — всегда имитатор некоего движущего мотива, находящегося вне его работы, который он может выразить своим почерком, но всегда имитируя. Величина интеллектуальной работы художника определяет **оригинальность** в отличие от развлекательно-преходящего новшества рыночной моды, **силу** в отличие от насилия.

Потеря принципа «красота есть познание» приводит к потере цели в искусстве. Лишь в условиях гармонии между собой, обществом и его высшими идеалами (если признать существование высших идеалов вообще, то нельзя не признать даже логически их Божественного происхождения), когда искусство не абстрагировано от повседневной жизни, может художник работать полнокровно. В противном случае возникает личностный символизм, не основанный на связи вещей с общеизвестными принципами, но на частных ассоциациях идей. Тогда каждый художник должен быть объясняем индивидуально, искусство перестает быть средством коммуникации. Поверхностная концепция «красоты» не позволяет говорить о «правде». Знак, некогда носивший Божественный символ, несет значение лишь самого себя. «Природа идей, выражаемых в искусстве, предопределена традиционной доктриной бескомпромиссно сверхчеловеческого происхождения» (A. Coomaraswamy. IS ART A SUPERSTITION?, Dover Publ. NY, 1956). Художник гораздо более помнит, нежели создает. Художник гораздо более конформист, нежели нон-конформист. «Всякое художество есть преобразование той или иной сущности, вложение в нее образа высшего порядка» (Ф. Уделов. ОБ ОТЦЕ ПАВЛЕ ФЛОРЕНСКОМ. Ymca Press, Paris, 1972).

В то время, как Матисс использовал поверхностный цветовой слой византийско-русской иконы, гораздо глубже двинулись русские «бунтари», называвшие себя конструктивистами, супрематистами и т.п.: Малевич, Татлин, Родченко, пересказавшие геометрию иконы на современном им языке. Дети русской культуры, они хотели своим новоиконным искусством вновь трансформировать общество, создать нового чистого и равноправного, как в ранних иудео-христианских сектах ессеев и кумранитов, человека, довершить то, чего не сделало 1000-летнее христианство на Руси. Отчасти это им удалось, что само по себе ставит их на ни с чем не сравнимый пьедестал художественно-исторического подвига. Могло ли это удаться им полностью? Вряд ли, ибо их «новохристианство» быстро запуталось в узаконенном насилии советских вождей. Последовавший разгром русских «левых» художников добавляет ореол великомученичества к их славе.

Латинское слово education по-русски значит «образование», «формация», «построение формы», «становление таким, как форма». Приобретая информацию, знание любым путем, в том числе, визуально, человек усваивает и придает себе новую форму. Русское многосмысловое слово «образ» лежит в основе изобразительного искусства. **Изображать** — значит получать (представлять) некоторый образ, имитировать его, воплощать его, передавать его (от — к). Русские иконописцы, как и западноевропейские средневековые художники, столетиями, в рамках установленных канонов, повторяли иконы, имитировали заданные образы, работая для «глаза Божия» — «ad madjorem gloriam Dei» — не держали в мыслях возможности индивидуализировать свое искусство. Даже слабо повторенный изначально сильный образ вызывает необходимые ассоциации смотрящего.

В русском языке нет эквивалента выражению «beaux-arts», подразумевающему свободную (от традиции, от Бога) эклектичную игру формами, «соблазнение чувств». Beaux-arts привело к современному изобретательству, к выпячиванию технических средств, которых всегда стыдилось подлинное искусство.

Неоспоримо подвижничество Малевича, но его «Квадрат» — совершенство для знающих его теорию и ничто, ноль для тех, кто не знаком с нею. Малевич пишет: в супрематизме искусство «...достигает «пустыни», в которой ничто не может быть постигаемо, кроме чувств. Все, определяющее объективно-идеальную структуру жизни и искусства, — идеи, концепции и образцы — все это художник должен отбросить ради внимания к чистому чувству» (Из кн. Malevich. «Suprematism», MODERN ARTISTS ON ART, Prentice-Hall, Inc. Englewood Cliffs, NY, 1964). «Квадрат» Малевича — не изображение видимого, но воображение невидимого логического абстрактного мышления. «Чистое чувство» Малевича, увы, осталось на его поле битвы; поля холстов, на которых играют в квадратики его несчетные последователи, заимствовавшие у него, как и у Пикассо, только внешнюю сторону, перестали быть полями битвы или возделанными полями Сезанна, Сера, Врубеля, Филонова.

Иоанн Фессалоникийский (на Седьмом Вселенском Соборе) подчеркивал, что «Основа изображения есть осязаемость и видимость того, что носит плоть» (Инок Г. Круг. МЫСЛИ ОБ ИКОНЕ). Даже «изображения ангельского мира... облекались в видимый образ как в символы» (Ib.). Самые высокодуховные «чистые чувства» и самые светлые символы в искусстве принадлежат искусству иконы, которая, по словам иконописца Инока Г. Круга, «возглавляет искусство». Память о человеке, его облике и окружении наиболее драгоценна, «потому что святая икона, положенная в основу всех изображений, — это икона вочеловечения Божия, Нерукотворный Лик Христа...» (Ib.). Образ человека есть преображенный образ Божий. Преображение Христово определяет природу иконы и, очевидно, природу всех изображений в изобразительном искусстве, стремящихся к первообразу. Основа искусства — его соразмерность человеку, который его производит и о котором оно делается. Грубо говоря, если бы животное было художником, оно делало бы искусство животно-морфным, если бы камень был художником — камне-морфным и т.п. Абстракционисты приложили немало труда, чтобы отучить зрителя искать антропоморфное и предметное в их работах, но им это не удалось, как не удалось уйти ни от объекта, ни от экспозиционного пространства, ни от зрителя. Прав был Сезанн, что «искусство должно быть гармонией, параллельной и соразмерной природе» и не должно стремиться к абстракции, оправдываемой лишь в периоды кризисов и замешательства, когда человек отъединен от окружающей среды.

■

Имманентная культура Средневековья (15), традиционные азиатские культуры, идеалистическое искусство ранних советских лет в России наделяли каждую личность типологическим совершенством, в то время, как в «демократическом обществе», которое претендует на сохранение каждым «своего лица», человек обречен на выставление своего несовершенства, а искусство — на эксгибиционизм и другие крайности. Индивидуальное в искусстве исключает использование огромной информации-энергии, накопленной веками. Индивидуальное опирается на одиночек, живущих в собственном изолированном мире, закрытом доступу ординарного человека. Средневековые умы подчеркивали коммуникативную природу искусства, долженствующую быть ясной и точной. Св. Томас Аквинский и Св. Бонавентура считали красоту казуальной: Бог есть причина всех вещей по Его знанию, знание делает работу прекрасной, знание-красота движет человека к правде. В искусстве, как и в жизни, «что» важнее, чем «как». В этом состоит отличие христианского искусства от искусства классицизма, где содержание — лишь отправной пункт для стилевых экскурсов и от современного иррационального искусства, где содержание отсутствует, а единственная цель — выражение индивидуальности, т.е. отдельности от других, то есть распада человечества как целого. Христианское искусство на понятном языке приближало и устремляло зрителя к постижению непостижимого, но единого, объединяло. Современное искусство на непонятном языке говорит о непонятном, разъединяет. Оно «не выводит нас за пределы себя само[го], но задерживает на себе как на некоторой лжереальности, как на подобии действительности...» (Свящ. П. Флоренский. ОБРАТНАЯ ПЕРСПЕКТИВА. Соч. т. 1, Ymca Press, Paris, 1985).

По воле «Великих моголов» средств массовой информации, которые управляют искусством Запада второй половины XX века, принцип обязательного новаторства и изобретательства стал единственным критерием оценки в искусстве. Под давлением mass media в сегодняшнем концептуальном искусстве, эклектизме, антиискусстве и т.п. происходит «интернационализация» искусства, когда не отличишь американского художника от русского или европейского. В этой намеренно замутненной среде дельцам от искусства легче манипулировать фальшивыми золотыми рыбками. Почти уже невозможно среднему человеку разграничить настоящее искусство от рыночно-развлекательного, которое, не гнушаясь ничем и вооружившись компьютерной техникой, соблазняет потребителя новейшими изобретениями типа VR (Virtual Reality — подлинная реальность) (U.S. News & World Report, January 28, 1991), где зритель-участник может вызывать к жизни (!) любую реальность   (!!) и взаимодействовать с нею (!!!). Вплоть до танца с несуществующим призраком, вплоть до секса с ним, — рекламируют покровители нового технического соблазна. «Эта технология лишь усиливает изоляцию человека, запечатывая его все глубже в электронный кокон видеозалов и TV» (Ib.) Люди становятся социально незрелыми; дети, в особенности, перестают отличать реальность от иллюзии. (Вспомним провидческий рассказ Рэя Брэдбери «Детская комната», где подобная иллюзия побеждает, уничтожает человека).

Есть явления и пострашнее VR. Я говорю о тех, кто возводит хулу на изначальные религиозные и моральные установления, принятые не только у иудеев и христиан, но практически у всех людей, независимо от их религиозной принадлежности или непринадлежности. Это те, кто фальсифицируют библейские тексты, изображают распятого Христа в виде женщины, погружают распятие в мочу и т.п. Это те писатели, художники и фотографы, кто под предлогом защиты индивидуализма, феминизма, гомосексуализма и других «свобод», в действительности растлевают себя, искусство, читателя и зрителя «смертельным растлением падения» (Инок Г. Круг, Ib.). Помимо кощунства и посягания на Ветхо- и Новозаветные фигуры Отца, Сына и Матери, это посягание на семью как элементарную ячейку человечества, на отцовство, материнство, сыновство. Этот вид терроризма страшнее того, что орудует бомбами. Об этом сказал Блаж. Августин: «Христос придет судить живых и мертвых не прежде, чем придет для обольщения мертвых душою антихрист».

134

Приведенные выше примеры разрушения человеческой души вытекают из «безумства гибельной свободы», против которого предостерегали Достоевский, Мандельштам (16), Солженицын, но их не услышали и не слушают ни народы России, ни «своевольные и самоуверенные народы Запада» (В.С. Соловьев). Солженицын, во время пребывания на Западе, неоднократно высказывал Западу неприятную правду о нем, о том, что технический прогресс не есть прогресс человечества, что развитие интеллектуальной жизни и науки не есть укрепление морали: «В течение последних 300 лет западной цивилизации были выметены прочь обязанности человека, но зато преувеличены его права» (TIME Magazine, July 1989) и о том, что закон, подменивший христианскую мораль, не в состоянии управлять людьми.

■

Тленна земная жизнь произведений искусства. Но что останется от них нетленного? Когда перевозчик Харон переправляет души в потусторонний мир (Лукиан Самоссатский. ХАРОН И ТЕНИ. Из кн. Соч. Лукиана «Разговоры мертвых», СПб., 1884), он заставляет их оставить на земном берегу все земное: дела, вещи, суету, все внешнее. Так, царь оставляет царскую корону, красавец — красоту, философ — пустословие, богач — золото, вельможа — родословную. В царство вечности все войдут нагими, своей сутью. «...У меня вера, что сделанное на земле, найденная здесь гармония, есть форма духа, живущего в вечности... Ни стихи, ни музыка не могут пропасть, даже если они уничтожены на этой земле, ...они запечатлеваются в Носителе гармонии для вечной жизни» (Н. Мандельштам, см. прим. 16).

«Всякое праздное слово.., что внутренне осуждено... своим несоответствием с Идеалом, ...все это вырвано будет» (Свящ. П. Флоренский. СТОЛП И УТВЕРЖДЕНИЕ ИСТИНЫ).

«Всякое насаждение, которое не Отец Мой Небесный насадил, искоренится» (От Матфея 15:13).

ПОСЛЕСЛОВИЕ

Делакруа, Хенри Мур и многие другие художники и писатели (В. Гюго, Л. Толстой и др.) справедливо считали, что художнику не следует много писать об искусстве. Я же пишу, т.к. думаю, что на склоне лет что-то узнал, могу как бы со стороны сравнить искусство России и Запада, Европы и США, и мои записки могут быть полезны тем, у кого нет такого опыта. Кроме того, в эмиграции в Калифорнии мое искусство художника, работающего кистями и красками на холсте, оказалось чем-то ископаемым и никому не нужным; зависимость изобразительного искусства от религии, особенно искусства Запада от христианства, бесспорная для меня, также является запретной темой в художественных кругах США.

В 60-е годы через школу Ю. Лотмана по «Запискам Тартусского Университета» я познакомился с приложением Теории информации к изобразительному искусству. Сейчас, через 30 лет, я продолжаю эти мысли и дополняю их, наблюдая, как изобразительное искусство, искусство образа, исчезает, вытесняемое техникой, коммерцией и средствами mass media, претендующими быть искусством самими по себе, без Слова, без Духа, без Человека. Особенно актуально это сейчас, когда искусство России и стран Европы устремляется в эту же бездонную прорву. Предлагаемый выше материал не есть стройная или оригинальная теория. Это всего лишь мозаика из мыслей ряда людей, в унисон с которыми думал и я. Мозаичность, отрывочность все более характерны для человека конца XX века, ибо слишком много противоположных сил воздействуют на него.

Принадлежность к цеху Тинторетто, Эль Греко, Рембрандта и Руо не могли не сделать меня принадлежащим их Богу, давшему начало всему видимому и изображаемому, напитавшему Ветхий Завет «множеством таинственных, неизъяснимо прекрасных прообразов, которыми благоухает ветхозаветный Израиль в предчувствии весны воплощения Предвечного Слова от Девы... и вся священная жизнь еврейского народа становится священным прообразованием пришествия Христова» (Инок Г. Круг. МЫСЛИ ОБ ИКОНЕ). В угрожающей ситуации распада моральной среды и заката великой иудео-христианской культуры я вижу спасение в возврате к забытым духовным ценностям присредиземноморского прошлого Западного мира.

ПРИМЕЧАНИЯ

1. В Библии на иврите имеется, по крайней мере, четыре разноступенчатых глагола «творить» — от Божественной прерогативы делать бытие из небытия — до ремесленного придания предмету товарного вида (А.Н. Василевский. СОТВОРЕНИЕ МИРА. «Израильский дневник», дек. 1986).

2. В который погружали свои образы иконописцы и стремились погружать Тинторетто, Эль Греко, Рембрандт, Руо.

3. «Откровение подразумевает сокрытие не менее, чем раскрытие: знак есть таинство» (Clement of Alexandria, PROTR., II, 15). «Чтобы достичь совершенства, надо прежде многого не понимать! А слишком скоро поймем, так, пожалуй, и не хорошо поймем» (Достоевский. ИДИОТ. ГИХЛ, М., 1957, Соч., т. 6).

4. «Смотри, — говорит Господь,— сделай их [святыни — А.Р.] по тому образцу, какой показан тебе на горе» (Исход 25:40). Ради этого Моисей, по словам Филона Иудейского, изгнал на века из жизни евреев «прекрасные искусства жи-

вописи и скульптуры, т.к. они разлагают правду ложью и вносят обман и заблуждение в души людей через их глаза» (E. Nameny. THE ESSENCE OF JEWISH ART. NY — London, 1960), засушив этим эмоциональную жизнь народа и оставив ему в наследие преобладающий рационализм. (О рационализме как философии «понятия и рассудка» и о христианской философии «философии творческого подвига» см. Свящ. П. Флоренский. СТОЛП И УТВЕРЖДЕНИЕ ИСТИНЫ. Т. 4, Ymca-Press, Paris, 1989, стр. 80). Поэтому еврейские художники лишь вынужденно обращались к форме, пренебрегая ею, чтобы иметь возможность говорить, ибо Бог невидимо и трансцендентно проникает все.

5. Как трехстворчатая лестница Иакова, соединяя небо и землю напоминает о каббалистическом принципе «что наверху — то внизу», так и архитектура лестницы Микеланджело отражает присутствие Бога и Его иерархии.

6. Любители Каббалы вкладывают особое значение в нумерацию ступеней, в «священные числа 3, 7 и 10». Так, число 7 — это «семь духов Божиих», о которых упоминает Апокалипсис, «семь звезд» , «семь огненных светильников» и т.п. Я не сторонник чересчур буквальной и литературной метафизики в трактовке архитекутуры, почему и беру некоторые, не мои, выражения в кавычки. Мне ближе простые слова Вазари, современника Микеланджело, о библиотеке Сан Лоренцо: «Изящество и очарование никогда не проявлялись прежде в искусстве с таким безупречным совершенством, как в этом здании, его целом и частях... Лестница также заслуживает внимания своим удобством и эксцентрической разбивкой маршей; вся конструкция так отлична от обычного подхода других архитекторов, что вызывает изумление у всех, кто это видел» (J.A. Symonds. THE LIFE OF MICHELANGELO BUONAROTTI. V. 2, MacMillan, London, 1925). Метафизика всегда проникает все творения Микеланджело, но не обязательно нуждается в мистической интерпретации числа ступеней. Конструктивно-геометрический анализ архитектуры Микеланджело, который делает Ле Корбюзье в «Модулоре», был бы не менее уместен и более свидетельствовал бы о мировой гармонии в работах Микеланджело. Эти более специальные сведения легко найти в книгах Ле Корбюзье.

7. Чин — канон в русской иконописи.

8. Из христианской литературы известно, что духовная трансформация отражается и в физическом облике.

9. «Всякое художественное произведение является сообщением, неотделимым от общения. Художественные произведения вступают в соприкосновение друг с другом **в социальном общении** через людей. Соприкасаются не произведения, а люди, но соприкасаются через медиум произведений, приводя их в отраженные взаимоотношения» (В. Шкловский. ПОЭТИКА. Цит. по кн. М. Бахтин. ФОРМАЛЬНЫЙ МЕТОД В ЛИТЕРАТУРОВЕДЕНИИ. Silver Age Publishing, NY, 1982).

10. Похищение двух работ Рембрандта в начале 80-х годов из Музея Де Янга в Сан-Франциско прошло незамеченным. Вот развод какой-нибудь кинозвезды или даже разлитый на автодороге химикалий привлекают куда большее внимание mass media и публики.

11. Говорит Бонетти, один из реставраторов Сикстинской Капеллы: «Техника и ее результаты всегда поражают. Даже после всех лет, проведенных на лесах, после предварительных анализов, фотограмметрических карт, просматривания того, что находится под поверхностью, при помощи ультрафиолетово-флуоресцентных и натриево-монохромных лучей, инфракрасной спектрометрии, жидкой хроматографии и атомно-абсорбирующей спектрофотометрии... После всего этого Микеланджело все еще ошеломляет» (David Jeffery. A RENAISSANCE FOR MICHELANGELO. Ntle. Gegraphic, Dec. 89). Ошеломляет также бесстыдство этого заявления. Сравним фотографии головы одного из ignudi у левого верхнего угла «Жертвоприношения Ноя», сделанные до и после «реставрации» и помещенные в этой же статье Джеффри. С очищенной головы вместе с «грязью» убраны микельанджеловская конструкция и анатомия. Его трепещущее драматическое сфумато заменено банальными фотографическими переходами тонов. Рисунок и форма всей головы нарушены: пропали зрачки глаз, белки стали плоскими, лоб, нос, губы утратили анатомическую верность, скулы потеряли рисунок, рисунок нижней челюсти искажен, исчез ее типично микельанджеловский S-образный энергичный изгиб, грудино-ключично-сосцевидная мышца шеи почти исчезла, рисунок уха исчез, мысок волос над дугой скуловой кости убран вообще, что лишает голову объема. Объем волос пропал, огромное число линий рисунка волос безжалостно удалено, повязка вокруг головы потеряла объем. Тональное соединение головы с фоном убрано. Следы кисти художника пропали (ср. кожу надбровных дуг, у горбинки носа и углов губ). В конечном счете создается впечатление, что это уже не Микеланджело, что по рисунку великого мастера Ренессанса прошелся легковесный будуарный художник эпохи ампира. Убрав «грязь» с помощью «новейшей американской техники», реставраторы убрали самого Микеланджело.

12. В начале каждой эпохи, каждого века, как и в начале жизни отдельного человека, думают, что лучшее — впереди. В конце эпохи, века, жизни, понимают, что лучшее — позади. В определенные времена «давность» означает «совершенство», писал П. Флоренский.

13. Отпочковавшийся от футуризма Маринетти «Dada» не прижился в Европе из-за своих разрушительных тенденций, из-за разрыва с традицией, а через Марселя Дюшана и Мэна Рэя переселился за океан, где расцвел в играх битыми тарелками могильщика искусства Шнабеля или в резвящейся на биллиардных столах Шерри Левин; традиций здесь нет, есть лишь рынок.

14. «Произведение искусства воспринимается... путем ассоциирования с другими произведениями искусства. Форма произведения искусства определяется отношением к другим, до него существовавшим формам... всякое произведение искусства создается как параллель и противоположение какому-нибудь образцу» (В. Шкловский. ПОЭТИКА, см. примечание 9).

15. О «Мрачном Средневековье» хорошо сказано в кн. H. W. Janson. A BASIC HISTORY OF ART. Harry N. Abrams, Inc. NY, 1983: «Ярлыки, которые мы используем для наименования исторических периодов, подобны прозвищам людей; коль скоро они однажды даны, от них невозможно избавиться, даже если они уже давно не подходят. Те, кто впервые ввели термин «Средние века», имели в виду целое тысячелетие между V и XV вв. как период тьмы, мрака между классической древностью и итальянским Возрождением. С той поры наш взгляд на Средние века полностью изменился: мы более не рассматриваем их как темное, невежественное время, но как «Век Веры».

16. Н. Мандельштам в «ВОСПОМИНАНИЯХ» (Ymca-Press, Paris, 1982) рассказывает, что О. Мандельштам «отстаивал связь времен» в искусстве и полагал, что «болезнь века — принципиальное новаторство... Ставка на чистое изобретательство неизбежно ведет к отказу от богатств, накопленных человечеством, т.е. грозит роковыми последствиями». Показательно, что О.М. связывал эту «болезнь» с отпадением от христианства: «...как понимал Мандельштам основной грех эпохи, за который все мы несем расплату: вся новейшая история «со страшной силой повернула от христианства к буддизму и теософии». «Лишь бы поэту, как и любому человеку, не вздумалось, отказавшись от свободы, стать как все, слиться с окружением и заговорить на языке сегодняшнего дня. Он тогда становится соблазнителем, но губит только себя, потому что, заговорив на языке сегодняшнего дня, поэт теряет его способность «глаголом жечь сердца людей». Язык и суждения сегодняшнего дня длятся только один день... Полуобразование и сопутствующий ему снобизм, потеря языкового чутья и соответствующая поэзия с обязательным новаторством и хлесткостью — все это лишь симптомы болезни, а не сама болезнь: как будто испытуется форма, а на самом деле гниет и разлагается дух» (О. Мандельштам, из статьи «Слово и культура», цит. по ВОСПОМИНАНИЯМ Н. Мандельштам).

Сан-Франциско

Декабрь, 1994 год

ДВЕ ВСТРЕЧИ С «ЕВРЕЯМИ ЗА ХРИСТА»

На улицах Сан-Франциско в конце 70-х годов внимание привлекал микроавтобус с необычной для меня надписью Jews for Jesus* — «Евреи за Христа». Познакомившись с людьми из автобуса, я попросил о встрече и вскоре был охотно принят веселыми юношей и девушкой где-то в районе улицы Джуда недалеко от Тихого океана.

Для меня, художника, еврея, выходца из русской культурной среды, христианство всегда олицетворяло высшие достижения человеческого духа и культуры, Ветхий и Новый Заветы составляли и составляют неразделимое целое. Начиная с 60-х годов, я делал работы на такие сюжеты, как: «Числа», «Труба Иерихона», «Пророк Даниил» и т.п. На первой выставке художников-нонконформистов Ленинграда в ДК Газа в 1974 г. мною была выставлена работа «Краткое житие Евфросина-повара», а на первой выставке еврейских художников Ленинграда в 1975 г. — «Иисус Христос и самаритянка» с акцентированным евангельским текстом о том, что «спасение [исходит — АР.] от иудеев» (от Иоанна 4:22). И работы, и текст устраивали далеко не всех зрителей, было много противоречивых и резких отзывов.

К вопросам религии в России всегда относились, по крайне мере, всерьез, поэтому меня при первой встрече с представителями JFJ удивило их видимое легковесное отношение ко всему и какая-то беспроблемность.

— Вы умеете танцевать или петь? — спросила меня девушка.

— ??

— О, если вы не умеете, мы вас научим. В следующую субботу приходите к нам в Лютеранскую церковь на shabbas**, будут танцы, песни, будет много вкусной еды и schmaltzy schmoozing***. Не забудьте принести пять долларов за вход.

— А... что же, собственно, христианского будет в этом?

— О, это и есть христианское собрание. Например, если вы еще не приняли Иешуа (Иисуса Христа), вы можете принять Его там.

— Как, там произойдет обряд крещения?

— Нет, зачем, просто вы примете Его и все.

— А потом?

— А то же самое: будете приходить на наши встречи. У нас всегда очень весело. Может быть, вы играете на гитаре? Если нет, то вы можете просто стать миссионером, ездить с нами и проповедовать Евангелие.

---

* В дальнейшем JFJ.
** Shabbas — Суббота, субботний отдых (идиш, англ.).
*** Schmaltzy Schmooze — легкая болтовня (идиш, англ.).

Я попытался перевести разговор на более доступную мне тему, тему искусства.

— Картины на религиозные темы? — удивился юноша. — Для чего? Иконы? Это идолопоклонничество. Мы давно отказались от всех внешних атрибутов христианства. Просто человек открывает себя для Иешуа, и Иешуа Сам входит в него.

Получив охапку newsletters*, издаваемых JFJ, я расстался со своими недолгими знакомыми.

■

Прошло 20 лет. Давно уже не было видно автобусов JFJ на улицах Сан-Франциско, и я успел забыть об их существовании, как вдруг по почте снова начали приходить их «листки новостей». Новости мало отличались от того, что печаталось в семидесятые годы, разве что JFJ вместе с баптистами, мормонами, кришнаитами и др. распространили деятельность своих миссионеров-проповедников на улицы Москвы, Киева, Будапешта и других городов бывшего советского блока.

Некто москвичка Лидия, говорилось в одном из «Листков», в первую свою встречу с миссионером никак не могла уверовать в Иешуа, но зато во время второй встречи она полностью приняла Его и уверовала в Него. Другая москвичка пришла к миссионеру со своим горем: она потеряла зонтик. «Эта беда поправима, — сказал миссионер, — давайте помолимся вместе и попросим Иешуа помочь вашему горю». И о радость: женщина не только нашла свой старый зонтик, но еще и два других!

Насытившись подобными историями, я решил снова встретиться с членами группы JFJ. На этот раз, кроме меня, в обмене мнениями участвовали: редактор «Листка новостей» Стивен Маус и два «свободных священника» — Дэйв Клайнер и Роуз Рутман, проповедница. Встреча произошла на улице Хэйт, где в 60-е годы зародилось движение хиппи, а сейчас ходили толпы молодых людей с кольцами в ушах, губах, бровях, в носу и языке.

Ниже я даю максимально близкий к записанному английскому тексту перевод высказываний каждого участника встречи.

АР. Некоторые сообщения ваших «Листков» приводят меня в замешательство. Вот эта история с зонтиками, или о том, как ваш миссионер, не найдя денег для уличного паркинга, помолился Господу, и Господь немедленно послал ему разменную монету. И это пишется в такое время, когда 40 милли-

---

* Newsletters — листок новостей (англ.) в форме письма, газеты, брошюры.

онов человек страдают от голода в одной лишь Российской Федерации! Можно подумать, что Бог — это какой-то разносчик мелких товаров... «Бог не человек. Это иноприродное начало. Без благоговения, без трепета подойти к Нему нельзя»*.

ДК. Господь прославляет себя равно в великом и малом.

АР. Трудно поверить и в то, что обычный взрослый человек может стать верующим, «принять Христа» мгновенно после встречи с вашим проповедником где-то на улице, в метро. На это требуется время и серьезная подготовка. Вопрос о крещении также неясен в вашей практике, в то время, как сказано: «Идите, научите все народы, крестя их» (От Матфея 28:19).

СМ. Вы недооцениваете работу Святого Духа, который беспрестанно освящает, крестит, ведет и наделяет Своими дарами всех призывающих Его.

РР. Часть нашего служения состоит в том, что мы учим тех, кто начал исповедовать веру, о важности крещения. Они могут присоединиться к своей местной церкви. Наши священники-проповедники сами становятся священниками согласно своей воле, без особых формальностей. В свою очередь, они никому ничего не предписывают и ни к чему не принуждают.

АР. Протестантская идея того, что каждый, кто пожелает, может назначить себя священником, без прохождения через специальные таинства и без рукоположения в духовный сан, или даже объявить себя пророком, не является ни еврейской, ни христианской. Христианское священничество преемственно, оно исходит от 12 апостолов, получивших дар священничества от Иисуса и Святого Духа, а пророков избирает Господь. Страстный характер иудаизма гораздо ближе римско-византийской церковной традиции, нежели протестантской. Сомнительно, что протестантское учение будет когда-либо воспринято большинством евреев (1).

РР. Мы — миссионерская организация, не церковь и не секта, хотя и являемся частью всемирной церкви Тела Христова. Каждый член JFJ принадлежит к христианской общине по своему выбору.

АР. Возможно, поэтому вы пишете в «Листке», Т. 10:5755, абсурдную фразу: «Христианство на самом деле не является религией вообще».

РР. Религия — это учреждение, созданное людьми. Христианство — Божественная правда. Быть христианином — значит быть рожденным для новой жизни, а не просто формально принять религию. Люди переходят из одной религии в другую, а христианство — это личное взаимоотношение человека с Христом и решение следовать Ему и Его правде, заключенной в Писании. В понятие «религия» люди часто вкладывают разный смысл, поэтому мы лишь играем в семантику слова.

---

* Отец Александр Мень. «Культура, христианство, церковь». М., 1995.

АР. У американцев бытует тенденция к изобретательству нового, иногда в ущерб здравому смыслу, Например, в изобразительном искусстве я встречал образы «черного христа», «христа-женщины», «двуполого христа», «христа в моче» и т.д. Читая ваши «листки», я с сожалением вижу, что и вы изобрели некий специфический образ «христа», подходящий для ваших целей. Иешуа, еврейский мессия, как бы пришедший из гетто и служащий нуждам выходцев из восточно-европейского местечка. Трудно воспринимать его как всечеловеческого христианского Бога. В лучшем случае, это иудейский Мешиах, не Иисус Христос, просто его зовут Иешуа. Но иудаизм и христианство неразделимы: «И благословятся в Нем племена; все народы назовут Его благословенным» (Псалом 71:17). Бог Ветхого Завета тождественен Богу Нового Завета. Этого не чувствуется в деятельности ваших миссионеров, вы как будто остановились на полпути к христианству.

РР. Алек, читали ли вы нашу официальную «Доктрину веры»? Мы верим, что Библия — это непогрешимое слово Божие, мы верим в Божественность Христа, в то, что Он является Второй Персоной Троицы, мы верим в Его искупительную смерть и Воскресение на третий день, согласно Писанию, в то, что спасение может быть осуществлено только Божьей благодатью через веру в Иисуса. Так что я не совсем понимаю, в чем же мы не полностью принимаем христианство?

АР. Позвольте мне сначала вернуться к вопросу о культуре, всегда связанному с религией или идеологией. JFJ ориентируют читателей своей печатной продукции на довольно застойную и слабую местечковую культуру конца XIX — начала XX вв. в то время, как мы имеем древнюю и глубокую трех— и более тысячелетнюю религию, историю, культуру Танах (Ветхого Завета) и двухтысячелетнюю — Нового Завета. Ваш «Выпуск новостей об искусстве», Т. 10.7, досаден: как надолго обречены еврейские художники производить прикладное или поверхностно декоративное искусство а la «Скрипач на крыше», то есть делать плохие перепевы хорошего Шагала? Шагал — крупный художник не столько потому, что был рожден в черте оседлости, но и потому, что он перерос свой провинциализм и ассимилировал, насколько мог, древнееврейскую, а также европейскую (христианскую) культуру, в частности, искусство византийско-русской иконы и русского лубка.

РР. Я не берусь комментировать ваши замечания об искусстве, так как некомпетентна в этой области.

ДК. Вы можете презирать восточно-европейскую еврейскую культуру, но многие из нас относятся к ней как к сокровищнице; именно через посредство этой культуры и мы пытаемся говорить с нашими неверующими еврейскими братьями, с которыми у нас есть общее наследие и общие корни.

Вероятно, вы много думали об отношении евреев к Христу, но вы очень неверно судите о нашей организации. Если вы ознакомитесь с «Доктриной веры», вы увидите, что наша теологическая направленность на сто процентов христианская. Если по прочтении «Доктрины» вы все еще будете продолжать думать, что мы находимся на полпути к христианству, то, я боюсь, ваше представление о христианстве сильно отличается от представлений большинства евангелических христиан, известных мне.

АР. Я читал вашу «Доктрину», но на практике, в общении ваших проповедников с людьми, все выглядит иначе. Вы явно стоите на почве американского протестантизма. Как известно, в XVI веке протестантизм вбил клин в единство европейской христианской церкви и способствовал этим ослаблению христианской церкви в целом, а равно положил начало неуклонному закату западной цивилизации. Подрыв автократии римского папства (оплота западной христианской церкви), свержение русского царского правительства (оплота восточно-христианской церкви) и корни других европейских катастроф XVI — XX вв., — все это является прямыми или косвенными последствиями Реформации (2).

Так что мое представление о христианстве действительно отличается от представлений евангелических протестантов.

ДК. Замечательная особенность Тела, Корпуса Христова, в том и состоит, что имеется много членов, но Тело одно, сущность одна. Вера в Христа имеет много разнообразных выражений и проявлений, и я рад, что Бог приемлет всех нас через веру в израильского Мессию-Мешиах Иешуа.

Ваша критика, вероятно, отражает ваши собственные сомнения и может выглядеть довольно обидной для тех, кто не менее вас любит Господа и преклоняется перед Ним как перед Спасителем и Царем царей. Если бы вы действительно приняли Христа как своего Господа и Спасителя, то вы проявляли бы более христианское отношение и сдержанность к тем, кого вы критикуете. Я бы хотел думать, что вы скорее прискорбно невежественны, чем недоброжелательны.

АР. Мне жаль, что мои слова кажутся вам обидными. Я пришел к вам не потому, что я слишком критичен, недоброжелателен, невежественен или знающ: я сделал это из-за моей озабоченности судьбой евреев и судьбой JFJ, в частности.

В самих словах «Евреи за Христа» заключена правда, ибо евреи изначально и навсегда соединены с Христом и духом, и плотью. Но популярная в Северной Америке, с ее 4000 зарегистрированных религий, верований и сект, точка зрения, что все тропинки, предположительно ведущие к Богу, действительно приводят к Нему, принадлежит скорее протестантизму, «церкви наукознания»*, кришнаизму и другим азиатским учениям, но не иудео-христианству. Произвольно выбирая тропинку, человек тем самым решает, что его тропинка наиболее верная, а его «член Тела Христова» лучше других. Так, бразильская

---

* The Church of Scientology.

Универсальная церковь царства Божия, культ Дэвида Кореша, русские «трясуны» и т.д., со всеми их крайностями, убеждены в своей принадлежности «Телу Господню». В Писании недвусмысленно сказано: «Ты — Петр, и на сем камне Я создам Церковь Мою» (От Матфея 16:18); не было сказано «мои церкви», или «верования», или «секты». То же о последователях Христа: «и будет одно стадо» (От Иоанна 10:16), «о верующих в Меня...: да будут все едино» (От Иоанна 17:20,21); не сказано «и будет разнообразие» или «да будет множество». Зачем же неверно истолковывать евангельский текст?

Вы призываете меня к толерантности, которую вы называете «христианским отношением». Как художник иудео-христианской направленности я много перенес и от советского остракизма, и от неприятия новопришельца с нонконформными идеями американскими художественными, религиозными и секулярными, еврейскими и христианскими организациями. Поэтому, да, у меня недостаточно терпимости. Слово «толерантность» иногда употребляется вместо слова «безразличие». Иногда при помощи «толерантности» скрывают объективную правду, а иногда «толерантность» используется как удобный политический инструмент для манипуляции массами.

В вашей деятельности для меня многое странно. Например, я не понимаю, зачем проповедовать в странах с развитыми христианскими традициями, таких, как Латинская Америка или Россия, где всякий может при желании стать соответственно католиком или православным. Я искренне не уверен, необходимо ли миссионерам JFJ проповедовать Евангелие неевреям: разве не мы, евреи, являемся «природной, но отломившейся ветвью» (Римлянам 11), о которой говорит Св. Ап. Павел?

Имеется один чувствительный момент в том, что вы посылаете своих миссионеров в Россию. Вместе с другими, большей частью протестантскими группами, вольно или невольно, вы наносите ущерб, или это может быть так истолковано, влиянию Русской Православной Церкви. Это могут припомнить в соответствующих обстоятельствах, и тогда новая волна антисемитизма поднимется против русских евреев или даже против государства Израиль. Начиная с исторического преувеличения вины евреев в смерти Христа, в мире бытует так много заблуждений, касающихся еврейства, что приходится опасаться пристрастной интерпретации любого шага, совершаемого евреями (3).

СМ. Вы, действительно, не хорошо нас понимаете. Вы думаете, что мы проповедуем в русских городах не-евреям. Это не так. Может быть вам неизвестно, что миллионы евреев еще живут в бывшем Советском Союзе, и когда мы проповедуем на улицах, мы обращаемся к ним. Но когда мы пытаемся «поймать еврейскую рыбку», мы иногда обнаруживаем, что много «нееврейской рыбы» также попало в наш улов, почему же мы должны выбросить их из сетей? Лучше воздайте хвалу Господу за то, что Христос существует и для евреев, и для неевреев одинаково!

АР. Христианское миссионерство когда-то означало самоотречение, бескорыстное служение Богу и людям, и даже мученичество. В наши дни, вероятно, только католические сестры полностью посвящают себя служению обездоленным и голодным в слаборазвитых странах, продолжая этим раннехристианскую традицию. Я не знаю, работают ли сегодня ваши миссионеры в таких горячих точках, как бывшая Югославия, Чечня или Хеброн? Быть может, проповедовать там Евангелие всем отчаявшимся и лишенным самого насущного не только словом, но и делом, принесло бы больше пользы, чем комфортабельное миссионерство в Нью-Йорке, Торонто или даже Москве.

ДК. Алек, недостаточно зная нами сделанное и обвиняя нас в несделанном, что лично вы сделали с помощью Божьей благодати и любви Мессии для еврейского народа? Нет ли у вас комплекса вины, которую вы пытаетесь перенести на нас? Вместо того, чтобы подвергать нас такой резкой критике, не предпочли бы вы помолиться, чтобы Бог благословил наши усилия в проповеди Евангелия во всем мире?

АР. Вина есть у всех нас. Если не за неприятие Христа, то за нарушение Моисеевых заповедей, о чем говорят Иисус и пророки. Последнее, на чем я хотел бы остановиться, это на некоей исторической параллели между JFJ и «Молитвенным домом «Вифлеем», организованным «Во имя Иисуса Христа, Сына Божия» русским евреем и проповедником Иосифом Рабиновичем в Кишиневе в 1884 году. Несколько сотен местных евреев последовали за Рабиновичем и регулярно слушали проповедь Евангелия. Об этом подробно пишет религиозный философ Владимир Соловьев*. Группа Рабиновича быстро двигалась по направлению к христианству и уже готовилась принять Апостольское Credo, Символ веры, примерно то, что вы называете «Доктриной веры». Но по каким-то причинам они не сделали последнего решающего шага — не приняли крещение. К началу XX в. следы этого движения теряются, вскоре начинаются жестокие погромы, а затем наступает большевистская революция. Возникает вопрос: почему Рабинович и его группа не смогли организовать свою собственную иудео-христианскую церковь? В то время они вполне могли получить серьезную поддержку со стороны ряда прогрессивных русских православных священников, философов и писателей, симпатизировавших иудео-христианскому движению в 1880 — 1910-е годы. Или может быть они просто могли принять православие? А может быть они могли бы последовать по стопам Св. Ап. Петра и обратиться в Ватикан? У меня нет ответа на эти вопросы.

Показательно, что основная масса еврейства, даже консервативного, смотрит сквозь пальцы на такие вещи, как смешанные браки (так, в Калифорнии многие евреи женятся на азиатских женщинах), на углубление евреев в чуждые иудаизму

---

* Вл. С. Соловьев. Еврейство и христианский вопрос. Соч., т. 4, Спб., 1907.

буддизм, дзен-буддизм, ламаизм и даже на нечастое вступление в так называемые «христианские» секты, но коль скоро речь заходит о подлинном христианстве, вытекающем из древнееврейского Ветхого Завета, являющемся его следующей и высшей ступенью и имеющем наиболее организованную формацию в Церкви, заложенной Св. Ап. Петром, то возникает непреодолимая стена.

Мне кажется, что и JFJ, подобно нашим кишиневским братьям XIX в., но на свой американский манер, не достигли настоящего христианства. JFJ представляется мне изолированной группой без серьезной теократической базы, без реальных дел, без перспективы на будущее. Забавными песнями, танцами и необременительными разговорами о Боге людей невозможно было подвигнуть на веру ни во времена ранних христиан, ни сегодня. То же касается распространения «Листков» на перекрестках и по почте, обращения к новым средствам коммуникации, не могущим заменить живое слово, живое общение с людьми, и особенно за пределами США. Можно ли представить себе Нагорную проповедь, сделанную по Internet'у? Или уверовал бы Фома, если бы увидел раны Иисуса только на видеоэкране, а не «вложил бы руки своей в ребра Его»? (От Иоанна 20:25, 27).

Я знаю, что только единичные, избранные евреи могут принимать христианство в его полноте. Сегодня основная масса евреев не в состоянии принять христианство как по причинам рационально-историческим, так и по причинам над-рациональным. Но поскольку сбываются все предсказания Писания, сбудется и предсказание о том, что «весь Израиль спасется» (Римлянам 11:26), пусть это даже произойдет в апокалиптические времена. Мешиах Иешуа-Иисус Христос принадлежит евреям, но и мы, евреи, принадлежим Ему, а через Него всему Его иудео-христианскому миру.

PP. Мы не изолированная группа, а организация, охватывающая миссионерской деятельностью добрую дюжину стран. Что касается группы Рабиновича, то дело было не в крещении, а в том, что, как вы правильно заметили, они себя не идентифицировали с определенной церковью, и в том, что Рабинович не имел преемника. У JFJ этих проблем нет, т. к. каждый наш член волен выбирать для себя церковь. После ухода Рабиновича его последователи были дезорганизованы погромами, в чем Рабинович не виноват. Правда и то, что многие еврейские братья и сестры во Христе теряются в вопросе самоопределения, останавливаются на полпути. Но наше дело — учить людей, знакомить их с Писанием, а что будет с ними дальше, их личное дело.

СМ. Благодарим всех участников нашей встречи. Я прошу Господа настроить наши сердца так, чтобы мы относились друг к другу подобно тому, как Он относится к нам.

Все: Спасибо.

ПРИМЕЧАНИЯ

1. «Поистине, все истинно верующие будут пророками Божиими в конце времен, при явлении церкви торжествующей, когда все будут также царями и священниками. Но до этого еще далеко, и превращать конец в начало — прием, не обещающий успеха» (Вл. С. Соловьев. «Еврейство и христианский вопрос». «София», СПб, 1993, стр. 63).

2. Таково мнение о протестантизме Владимира Соловьева и других русских религиозных философов. И институт папства, и институт русского царизма были далеки от идеала. Нельзя сказать, что они не оставили на своем пути ни жертв, ни крови. Тем не менее, каждый из них представал как «страж священного участка, страж всего, что в пределах охраняемой границы содержится... он дает жизни расчлененность и строение, устанавливает незыблемость основных сочленений жизни и, не допуская всеобщего смешения, тем самым, стесняя жизнь, ее освобождает к дальнейшему творчеству» (Отец Павел Флоренский. «У водораздела мысли». М., 1990, стр. 222).

3. Филон Иудейский (Александрийский), Тацит и Иосиф Флавий оставили письменные свидетельства о том, что в I в. н. э. две небольшие группы иудеев были не согласны между собой в том, кто таков Христос. «Весь народ», который кричал перед Пилатом «распни Его!» (От Луки 23:18-21), на самом деле были приверженцы первосвященников, собранные ими на небольшом пространстве перед дворцом Пилата. «Первосвященники возбудили народ» (От Марка 15:11), оклеветав Христа с учениками в том, что они «злодеи и люди, кто хотел предать храм огню» (Апокрифическое «Евангелие от Петра», 7:26). «Архиереям удалось найти праздных зевак, чтобы те криками поддержали их петицию» (Прот. Александр Мень. «Сын человеческий». М., P.S., 1991, стр. 250). Слова «Весь народ» русского перевода Евангелия не обязательно соответствуют оригиналам греческого и латыни, где скорее сказано «люди», «толпа». Ведь не просто так первосвященники «старались схватить его, но **побоялись народа**» (От Матфея 21:46, Марка 12:12, Луки 20:19)*. И «первосвященники и старейшины и весь синедрион искали лжесвидетелей против Иисуса, чтобы предать Его смерти, и **не находили**» (От Матфея 26:59, 60), а те, кого нашли, были «найдены» «внутри двора первосвященников» (От Марка 14:55). Первосвященники и др. так же не представляли народ Израиля, как и ограниченное число приверженцев Христа не отражало отношения к Нему большинства населения страны, хотя и симпатизировавшего слухам о новом учителе («Многие же из народа уверовали в Него» (От Иоанна 7:31).

---

* Здесь и далее выделено мною — А.Р.

Военный администратор Понтий Пилат был совершенно нечувствителен к религиозным проблемам иудеев, он принял решение о распятии Христа как смутьяна. Сама казнь была осуществлена римлянами. Когда христианство сделалось ведущей религией Рима, вина за смерть Христа была сознательно снята с римлян и полностью переложена церковными писателями-пропагандистами на **всех** иудеев. Вот где происхождение религиозного анти-иудаизма (поначалу внутриеврейского христианского явления), переродившегося затем в европейский расовый антисемитизм! А искусство последующих веков ухитрилось превратить маленькие площади Иерусалима I в. н. э. в гигантские площади голливудских декораций с многотысячными толпами на них.

Можно адресовать интересующихся этой темой к книге «Кто убил Христа?» католического университетского профессора Джона-Доминика Кроссена (John Dominic Crossan. WHO KILLED JESUS? Harper, SF, 1995), оспаривающего жестокое бремя вины, возложенной на евреев. Среди прочих фактов автор знакомит читателя с проблемой **земельных конфликтов** между захватчиками римлянами и крестьянами иудеями: римляне опасались Христа не как религиозного проповедника, но как потенциального вождя крестьянского восстания, угрожавшего римской диктатуре. Последнее парадоксально совпадает с подходом к христианству (правда, без Христа) советских школьных учебников по истории. Но может быть, не все, что написано марксистскими историками, неверно?

Сан-Франциско

Август, 1996 год

17

ОТКРЫТОЕ ПИСЬМО НОРТОНУ ДОДЖУ

24 февраля 1996 г. в музее Зиммерли Университета Ратгерс, где развернута постоянная экспозиция «От ГУЛАГа до Гласности (из коллекции Нортона Доджа)», проходила представительная международная конференция, посвященная советскому нонконформистскому изобразительному искусству. На конференцию был приглашен ряд художников, чьи работы находятся в коллекции Доджа, в том числе и А. Рапопорт, чье открытое письмо знаменитому коллекционеру мы сегодня публикуем.

Дорогой Нортон!

Спасибо за сообщение о предстоящем 24 февраля с.г. симпозиуме «Советское нонконформистское искусство в контексте».

С сожалением констатирую, что когда речь идет о русских художниках-нонконформистах 1950 — 1970-х годов, американские искусствоведы выдвигают на передний план «Московскую группу» и оставляют в тени не менее важную для русского искусства Ленинградскую группу художников.

В силу политических обстоятельств москвичи всегда были на виду сначала у западных дипломатов, а затем и у западных искусствоведов. Следуя облегченной теории, что Запад лидирует в области искусства, западные искусствоведы руководствовались принципом: «что похоже на западное искусство, то более прогрессивно». В более примитивном толковании в указанные годы это звучало даже так: «предметное» искусство — отсталое, «абстрактное» — передовое. Подобный подход удобно соответствовал всегдашнему подходу к России западных политиков: «Западный юридизм и просвещенный абсолютизм Нового времени лучше, чем российская феократическая синархия»*.

Московские художники, группировавшиеся вокруг О. Рабина, не только действовали в русле идей западных политиков и искусствоведов, обучаясь по пути «функционированию западного художественного рынка» **, но подчас оказывались в одной упряжи с тем, что сегодня называют «силовыми структурами» в подавлении неугодных властям акций.

Зимой 1975 г. Товарищество экспериментальных выставок Ленинграда (ТЭВ) путем голосования ста своих членов избрало 15 наиболее выдающихся

---

* П.А. Флоренский. «Пути и средоточия». М., 1990.
** В. Паперный, Е. Компанеец. «Художники и заграница». «Синтаксис», № 18, 1987, Париж.

художников для устройства репрезентативной выставки в Москве. Как я помню, туда входили:

1. А. Арефьев
2. Г. Богомолов
3. Е. Горюнов
4. Ф. Гуменюк
5. Ю. Дышленко
6. Е. Есауленко
7. Ю. Жарких
8. И. Иванов
9. А. Леонов
10. В. Некрасов
11. В. Овчинников
12. Ю. Петроченков
13. А. Рапопорт
14. В. Рохлин
15. Е. Рухин

Названные художники были типичными представителями петербургско-ленинградской художественной школы, не отрицавшими предыдущую изобразительную культуру, но углублявшими и укреплявшими ее. Оперируя вновь открытыми для себя формами, будь то традиционного исконного искусства или же русского авангарда конца XIX — начала XX вв., они героически пытались прорваться сквозь скорлупу коммунистических догм к «духовному концентрическому конусу»*. На расстоянии времени можно смело сказать, что в отличие от прагматичных москвичей высоко профессиональное творчество этих художников находилось в пределах «мировой софийности, чьим умным художеством устраивается мир как храм» **.

На открытии нашей выставки на Б. Садовой, 10, экспозиция была незабываемая, насыщенная...Успех был колоссальный, отзывы высокие. «Не похоже на москвичей, не похоже на Запад, очень человечно. Это своя, ленинградская школа». Выставку предполагалось держать дней десять. Но на следующий день началась бесовская вакханалия.

Началась исподволь, с прихода представителей Отдела культуры. Они стали тихо увещевать о том, чтобы закрыть выставку и перевести ее в некий выставочный зал, который нам якобы дадут. После нашего категорического отказа они резко изменили тон, а один из них вдруг надел повязку дружинника и сказал, что мы «нарушаем общественный порядок» ***. Вместе с представителями Отдела культуры появились два посланца О. Рабина: А. Глезер и М. Одноралов. Через них Рабин передал, чтобы мы немедленно закрыли выставку и убрались из столицы, т.к. «отвлекаем внимание иностранцев от выставки московских художников-нонконформистов в павильоне ВДНХ «Пчеловодство», проходившей в те же дни. Вскоре в дело вступила милиция и началось принудительное выдворение ленинградцев из Москвы. В поезде Москва-Ленинград был обожжен ипритом

---

*   В. Петровский. «О Боге, искусстве и о себе». «Время и мы», № 56, 1980.
**   К. Исупов. «Житие и миросозерцание П. Флоренского». СПб, 1994.
*** А. Рапопорт. «Последние выставки», НРС, 9 ноября 1979.

Ю. Жарких, по возвращении в Ленинград избит Арефьев, жестоко преследуемы были многие другие, включая пишущего эти строки, а через несколько месяцев был физически уничтожен Е. Рухин.

Здесь не место давать сравнительный анализ ленинградского и московского нонконформистских движений. Лишь отмечу, что очень многие московские художники круга Рабина отнюдь не отличались хрестоматийными достоинствами русского художника, поколениями воспитанного на аскезе иноков-иконописцев или на «Портрете» Н.В. Гоголя. От Рублева до Филонова трудно представить себе русского художника, занимающегося саморекламой или эксгибиционизмом.

Огромную работу проделал Нортон Додж по коллекционированию и пропагандированию нонконформистского искусства советского периода, и только чувство глубокой благодарности может возникнуть по отношению к нему. Но чтобы эта деятельность оказалась плодотворной для будущего русской и мировой культуры, недостает талантливого, знающего, с непредвзятым мнением, искусствоведа, который не повторял бы кем-то многократно переписанное, но обратился бы к еще живым участникам ТЭВа и фактам.

Вот и раздел недавнего каталога «От ГУЛАГа до Гласности», показывающий ленинградских нонконформистов 50-70-х годов, и в названии раздела, и в тексте, и в подборе иллюстраций страдает односторонне-механической подачей фактов и имен, тенденциозной расстановкой акцентов и просто недостаточным знанием предмета.

Так, о центральных событиях в истории ТЭВа, выставках в Доме культуры Газа и Невском, как и о ведущих художниках Товарищества, перечисленных выше, а также: А. Басине, В. Видермане, О. Григорьеве, В. Гаврильчике, Гоосе, Медведеве, Г. Устюгове, В. Шагине, Ш. Шварце и др., с их весомым вкладом в петербургско-ленинградскую культуру, говорится мельком или вообще не говорится, а вместо этого приводится ряд случайных имен.

Арефьевская школа на десятилетия вперед определила духовное и формальное развитие ленинградско-петербургской, а отчасти, через Э. Зеленина и О. Целкова, и московской школ изобразительного искусства. В зловещие 50-е гений А. Арефьева, Ш. Шварца, Р. Васми, В. Шагина привнес греческую античность в сочетании с высочайшим гуманизмом в ленинградское искусство, создав совершенно новый стиль. Десятки художников Ленинграда—Петербурга через сегодняшних «Митьков» развивают и далее эту необходимейшую для русской культуры школу. Где упоминание об этом в каталоге? В нем мы находим вялое перечисление «неореалистического» стиля Арефьева в изображении им скандальных сцен... Да и о Митьках говорится как о забавном явлении со «специфическим стилем поведения». О преемственности ни слова. Обидно.

Художники И. Якерсон и В. Бруй в ТЭВе не участвовали.

Е. Абезгауз сыграл определенную роль в движении ленинградских евреев за выезд из СССР, но о художественной стороне его работ говорить трудно.

М. Таратута в группу АЛЕФ не входил и в известных мне выставках группы не участвовал.

Из неупомянутых в каталоге в АЛЕФ входили: А. Арефьев, Р. Васми, В. Видерман, Ю. Календарев, Т. Кернер, Т. Корнфелд, С. Островский, Б. Рабинович, Г. Шапиро, Ш. Шварц. О. Шмуйлович.

Возможно, искусствоведам, составлявшим каталог, не следовало приспосабливать свою работу к бытующей в американском искусствоведении прокрустовой схеме того, что есть или чем должно быть русское искусство, и того, что есть или чем должно быть искусство вообще. Следование схемам рискованно и в искусстве, и в жизни, и в политике; оно может приносить неисчислимые бедствия, в чем мы убеждаемся повседневно.

Это письмо написано от лица, и я полагаю, выражает мнение большой группы ленинградско-петербургских художников, живущих в России и за ее пределами.

Большое спасибо за внимание.

Искренне, Алек Рапопорт.

«Новое Русское Слово»

8 марта 1996 года

Нью-Йорк

18

19

III. РАССКАЗЫ

СЕН-СИМОН И ЖОГОПИН

(РАССКАЗ БЫВШЕГО СТУДЕНТА ЛЕНИНГРАДСКОГО ХУДОЖЕСТВЕННОГО УЧИЛИЩА НА ТАВРИЧЕСКОЙ УЛИЦЕ)

Когда Келлих проходил по коридорам Таврического училища, то все ему кричали: «Эй, Жогопин!» или «Привет Жогопину!» Даже я, юноша довольно робкий, увидев однажды Келлиха на эскалаторе метро, закричал, не удержавшись: «Жогопин!» — и спрятался за чью-то спину.

— Глупые дети, лучше не обращать на них внимания, — советовал ему соученик Семенов.

«Ведь у меня такая красивая фамилия, — думал Келлих, — по-немецки ее произносили бы «Келлихь», а до революции писали бы «Келлiхъ».

Но «дети», собственно, его и Семенова сверстники, и даже демобилизованный Овчинников, неизвестно почему продолжали называть его Жогопин, и он постепенно привык, и когда на занятиях его просили: «Жогопин, передай табурет», — он передавал без слов.

Больше всех раздражал его вислоухий прыщавый Никифоров с распухшими губами. Он обожал задавать Келлиху один и тот же вопрос: «Ты вообще, Жогопин, какой национальности?» Келлих уже несколько раз как можно спокойнее объяснял ему, что он из обрусевших немцев, поселившихся в России еще в восемнадцатом веке, что его дедушка по отцу уже был наполовину русский, а мать вообще чисто русская. Но Никифоров продолжал приставать все с тем же вопросом, подпуская иногда с улыбочкой, что он встречал фамилию Келлих у одного еврея.

— Ничего, ничего, все мы советские люди, — успокаивал их Фролов.

С Семеновым, которого за незлобивость и интеллигентные манеры прозвали Сен-Симоном, Келлих был в приятельских отношениях. Семенов отличался необычайной вежливостью, он был нездорово худ, зимой и летом носил костюм, жилет и галстук, а на улице шляпу и длинное пальто. Уже издали, увидев Келлиха, он улыбался и кланялся, что тоже было необычно для грубоватых послевоенных подростков. Живопись его, правда, была серой и скучной, как ленинградские поздние рассветы, но с ним можно было, по крайней мере, говорить обо всем. Вернее, говорил Келлих, а Семенов очень вежливо и чуть торопливо, с приятной улыбкой со всем соглашался и кивал.

Ноябрьский день занимался поздно, поэтому, если первыми часами была живопись, студенты писали при электричестве так называемый «монохром», то есть светотенный рисунок масляными красками. Это занятие было очень вредно для самого понятия «живопись», для развития цветоощущения, а от добавления к красителям белил изображение на холсте, будь то натюрморт или натурщик, делалось мертвенно-холодным, ну прямо как осенняя мгла за окнами.

Учебные занятия заканчивались в 5 часов вечера, и когда Келлих и Семенов, оба в узких пальто, шляпах, белых по тогдашней моде шарфах, с этюдниками через плечо выходили на вечернюю улицу, они по-настоящему чувствовали себя художниками, и им казалось, что все, глядя на них думают: вот идут художники.

— Не подышать ли нам немного свежим воздухом? — спрашивал обычно Семенов. — Давай пройдемся по Таврическому саду, дождя как будто нет.

— Получше, чем в этом вонючем училище, — говорил Келлих.

— Да уж намного лучше, — с тихим смехом вторил Семенов.

Они входили в осенние аллеи Таврического сада, в свет желтых туманных фонарей и негромко, с длинными паузами, обсуждали события учебного дня.

— Ну и идиот же этот Тупикин, — начинал Келлих, говоря о преподавателе рисунка. — Стал делать построение модели геометрически, ну, знаешь, как Чистяков учил. А он подходит ко мне со своими кривыми глазами...

— Да, да, да, — смеялся Семенов, — у него именно, именно совершенно кривые глаза.

— ...становится за спиной и нагло так говорит: «Ну, что, рисовать с натуры будем или будем заниматься формализмом?». Он абсолютный дурак!

— Ты прав, он полный-полный дурак, — подтверждал Семенов.

— И такой же тупой, как его фамилия!

Оба они смеялись и были довольны своим взаимопониманием. Вскоре их силуэты исчезали в вечерней тени деревьев.

Изредка по воскресеньям Семенов приезжал к Келлиху на Охту, где тот снимал угол у вдовы Ворониной. Они вместе спускались в соседний гастроном, покупали немного хлеба, вина и колбасы. Потом они вместе ели, пили вино маленькими глотками и говорили об искусстве. Оба хотели стать «настоящими художниками». Келлих увлеченно рассказывал Семенову о своем любимом немецком художнике Альбрехте Дюрере, о его рисунках, гравюрах и даже о его письмах из Италии на родину.

— Вот бы рисовать, как Дюрер! — восклицал он.

— Так ведь Тупикин не позволит, — отвечал Семенов

Они грустно молчали, был слышен моросящий за окнами дождь. Келлих полулежал на кушетке, а Семенов без пиджака, но в жилетке, галстуке и застиранной белой рубашке, сидел в полуразвалившемся кресле вдовы Ворониной.

Иногда, правда редко, они говорили о девочках своей группы.

— Какие-то они непривлекательные. Лариска хоть и хорошенькая, да дура, и зубы у нее вставные, — говорил Келлих. — Гудимиха же (Гудимова) похожа на воблу.

— Да, да, а Майечка Левина слишком уж умненькая, — добавлял Семенов

— Вот найти бы хорошую девушку! — мечтал вслух Келлих.

— Для этого нужно ходить на танцы.

Они оба негромко смеялись и вздыхали.

Однажды в понедельник Семенов не пришел в училище.

— Где же Сен-Симон? — спросил кто-то.

— Наверно, гриппом заболел, — сказал Овчинников.

— Хе-хе, гриппом! — сказал мерзкий Никифоров. — Наверно на танцы к ремеслухам пошел и кой-чего похуже подхватил.

Все заулыбались, потому что не могли представить себе интеллигентного Семенова на танцах в ФЗУ, где фезеушницы славились якобы доступностью, а фезеушники хулиганством. По сути, к Сен-Симону относились в группе хорошо: ведь он даже никогда не спорил из-за места при постановке натуры, а всегда с улыбкой уступая другим, сам отодвигался в дальний угол, откуда почти ничего не было видно.

Не пришел Семенов и на следующий день.

— Что это Семенов опять отсутствует? — спросил преподаватель живописи Чернышев.

— Пропускает, паиття (так он выговаривал слово «Понимаете»), и не сообщает. Келлих, вы же с ним приятели, заехали бы к нему узнать, что случилось.

После занятий Келлих поехал в район Староневского, где Семенов жил со своей бабушкой, родителей у него не было.

Когда Келлих зашел в комнату Семеновых, там было темно, и он услышал шепот:

— Включите, пожалуйста, свет.

Старушка Семенова лежала на высокой постели под горой одеял и подушек. Даже на голове ее была подушка. Узнав Келлиха, она тихо заплакала:

— Пропал наш Сенечка, я всегда так о нем волновалась. Пропал, пропал...

— Как пропал?

— Пропал. Ушел в воскресенье вечером подышать воздухом и не вернулся...

— А вы в милицию обращались?

— Обращалась. А они говорят, только через трое суток начнем поиски, ему же семнадцать лет, он у вас совершеннолетний.

— Может, найдется, может, поехал куда?

— Нет, нет, куда ему ехать? Это его фезеушники с моста столкнули, чует мое сердце. Он ведь такой деликатный.

Старушка снова заплакала и отвернулась к стене.

Милиция не нашла Семенова ни на третий, ни на какой день. Келлиха и других студентов вызывали по очереди на опрос, но никто ничего не знал. Келлих еще раз навестил старушку Семенову — она была совсем плоха. Милиция заключила, что Семенов — без вести пропавший. В училище все недоумевали: ведь это уже не война, а мирное время. Ну не мог же просто так бесследно пропасть человек!

Келлих тяжело переживал исчезновение своего тихого друга и не сразу понял, что заболевает. Когда поздним ноябрем болезнь крепко схватила его, врачи с удивлением узнали, что это желтая лихорадка, малярия, редкая в Ленинграде, и добросовестно лечили его хиной, приписав болезнь недавней войне и эвакуации в Среднюю Азию.

Сначала он продолжал посещать занятия. Но временами ему становилось так плохо, что на переменах между уроками живописи он должен был отлеживаться на трех составленных табуретах, чем вызывал раздражение Чернышева:

— Что это вы тут разлеглись, паиття? Если больны, так идите в больницу. Зачем же государственные деньги транжирить?

Келлих перестал ходить в училище после того, как Никифоров сказал:

— Ну, тебя, Жогопин, лихорадка совсем выжопила, ты стал желтый, как Го-Мо-Жо, скоро помрешь.

Теперь он лежал в своем углу у вдовы Ворониной и никак не мог согреться. Его сотрясал озноб, тошнило, мучил металлический вкус во рту, отчего он беспрерывно плевался. Жизнь была немила.

Вскоре, и правда, он умер. Его хоронила вся группа, даже Никифоров пришел. А после похорон поехали к Фролову, который устроил поминки. Пили водку и вспоминали обоих, Келлиха — теперь никто не называл его Жогопин — и Сен-Симона.

Потом прошло время, и говорить о них перестали. А весной, когда сошел лед, тело Семенова нашли в речке Фонтанке.

Сан-Франциско

Сентябрь, 1996 год

20

«РЕАЛЬНАЯ ЭСТАТНОСТЬ»*
ПАНТЕЛЕЯ РЕКВИЗИТОВА

(сан-францисская зарисовка)

Поезд, называемый туземно «Мюни метро», улюлюкал по Маркет-стрит провинциальной задохлой трелью. «Кудыть, кудыть, кудыть», — раскудахтывали вагоны. «Тудыть, тудыть, тудыть», — темяшил им паровоз.

«Раскудыть бы твою кубыть!» — сказал себе в рыжую бороду подрядчик (по-здешнему — контрактор) Пантелеймон Эммануилыч Реквизитов, разглядывая двусмысленные колени Мавры, сидящей на лавке. «Вот учу я тебя дуру уже сколько лет, и нет — проку не будет, — продолжал желчный старик. — Да ты не на меня пялься, а на всех этих бамов и битников гляди. Еле ноги дураки тянут, из мусорных ящиков жрут, струпьями покрыты хуже зверей. А все почему? Потому хозяина на них нет».

Один бродяга смрадно дышал прямо в ухо Реквизитову. «Видишь — сифилитик, прямо лепрозорий какой-то. В России на них бы живо управу нашли. Наш царь Петр Алексеевич Великий тоже мог бы в Кремле на печи лежать да пирогами объедаться. Но он денно и нощно по Ленинграду шнырял и собственноручно непорядки высматривал. Через то и пострадал. Видит раз — мужик на реке Нева в прорубь упал. Он враз к нему, вытащил дурака, в свою царскую доху обернул и высушил. Сам же простыл и помер, прости Господи. Вот как в России: каждому последнему крестьянину счет ведут. Все на учете».

Старик одушевленно задвигал руками и ногами. Марта тупо нюхала сладкий запах подгнивающего мяса. Молодой человек между тем приблизился. Он был еще в интеллигентном возрасте и носил наружные очки.

«Я сорта маклер на фондовой бирже», — сообщил он сбоку Марте. У ней же ноги заголились и пятнами кармина пошла грудь.

«Вам бы все панки да беатлзы», — бубнил Пантелей, но его не было слышно в густом финском тумане. Сердце стучало гулко и болела спина. Красный цвет клубами мутил голову. Коммивояжер культей поправлял очки. Липкий пот тек между лопатками. Лопатки девушки были остры и пронзали Пантелеймонову спину через толстый ватник.

Когда шли через Чайна-город, красные фонари зажигались. «Год крысы, год крысы», — доносилось отовсюду. Крысы же сладострастно кружились в жиже, что стекала с подвешенных свиных туш. Кровавая пена вскипала от крысиных подергиваний и пристекала вновь. Китайская старуха с желтушным сморщен-

---

*От английского real estate — недвижимое имущество.

ным лицом и русской короткой стрижкой 30-х годов, с гребенкой, ковыляла на трех ногах с палкой карябкой.

«О тесно и смутно мне! — воспрял вдруг Пантелей над красными драконами крыш в виде фальшивых пагод. — В Испанию ли податься, где люди живут?» «А што они работают в Испании?» — спросила Марья, повернувшись русопятской с татаринкой скулой. «В Испании не работают, в Испании живут», — сказал Пантелей.

Они вошли в Гранд-авеню, где сифилитиков и больных не было, но туристов была тьма. Марта смотрела своими злобными глазами на группу кавказских матросов (или латинос, но говорили по-русски), которые даже носки своих востроносых надраенных штиблет поворотили косолапо к центру мятущейся внутренним чувством группы (где находился их командир), что происходило от мигающих красных сосцов на крупных телесных грудях: «Герлз, герлз, герлз — секс натуральной любви». Пантелей на лозунги и плакаты не смотрел, его глаз был повернут к глубине забытой русской истории. Он думал о подвигах русских царей и пытался вспомнить головную дату Куликовской битвы.

Но Мавру какие-то вихлявые черные люди уже зачали хватать за зад и перед, отчего Пантелей рявкнул на них по-американскому: «Геть, хапуги, едрить твои копалки!» А Марта дополнила по-школьному: «Хуй вам в гласс, блятть!».

Они вышли, наконец, к мосту под названием Бей Брыдж, но туда без машин не пускали. Пантелей сплюнул с досады зеленым китайским табаком и повернул к дому.

«Ничем их, собак, не проймешь, — думал он со злостью. — Но я их реальной эстатностью ударю. Их же оружие, как на Халхин-Голе, применим. Как закачу моргиджу* на 15,5% годовых, — надолго запомнят америкахи Пантелеймона Реквизитова!»

Он широко шагал, двигая ногами, и упрямо вперял бороду в мутную тьму. Марфа бессмысленно и мелко поспевала вслед, сжав до невидимости свой немецкий запавший рот.

Закат уже давно истек кровавыми гарансами, и тоскливая колониальная мгла заглотила Тихий океан, по-здешнему, Пасифик.

Сан-Франциско

Апрель, 1984 год

---

* Mortgage (англ.) — закладная.

ДЕНЬ ИЗ ЖИЗНИ ПАНТЕЛЕЙМОНА РЕКВИЗИТОВА

(сан-францисская зарисовка)

В ОФИСЕ

С утра босс Леонард был не в духе и то и дело из открытых дверей своей стеклянной будки говорил Пантелеймону что-нибудь неприятное.

— Пэн, зачем вы так громко говорите по телефону? По американскому телефону можно говорить даже шепотом.

Или:

— Пэн, вы вчера сделали спецификацию в проекте Ордвэй тыатер совершенно неправильно. Ведь вы — лучший специалист из России по театральному оборудованию.

Иногда босс, закрыв стеклянную дверь будки, звонил Пантелею по телефону:

— Пэн, вы не забыли на сцене кабаре в Рино поместить под колосниками электронный глаз, чтобы наблюдать за актерами сверху?

— Нет, я не забыл, но мне казалось, что заведующий сценой и так видит всю сцену на своих четырех видеоэкранах спереди, с боков и сзади. Кроме того, под потолком сцены нет уже ни одного свободного квадратного дюйма.

— Это не ваша проблема. Мы должны продублировать все системы. Я жду от вас чертеж к концу дня.

Пэн пытался искать сочувствия у Марка:

— Интересно, как существовал театр времен Шекспира без такого избытка аппаратуры и механизмов, которыми мы нашпиговали театр сегодня?

— О, театр Шекспира был бы гораздо лучше, если бы у него было наше оборудование, — уверенно улыбаясь зубами, отвечал Марк.

В ожидании перерыва на ланч Пантелеймон иногда посматривал в окно. Там был пустырь когда-то...

ПЕРЕРЫВ НА ЛАНЧ. ПОСЛЕ ПОЛУДНЯ

Там был пустырь, когда семь лет назад Пантелеймон приехал в Сан-Франциско, и только сонные бродяги со своими коричневыми мешками брели тут по утрам в разных направлениях. Потом кто-то открыл на пустыре паркинг, и приветливый старый негр говорил каждое утро свое «хелло» Пантелею. Здесь не было места для прогулок и, поев в офисе свой скромный ланч, Пантелей уходил проветриться по странной улице Грант, как в другую страну, где южная часть улицы принадлежала Китай-городу, а часть к северу от авеню Коламбуса считалась китайско-итальянской, что дало причудливую смесь магазинов и товаров в них, где рядом с зародышами змей и корнями джинсенга можно было найти чай Бониэлли и обувь из Милана.

Но года два назад паркинг на пустыре закрылся, и началось какое-то строительство, быстро, впрочем, завершившееся возведением комплекса фирмы Леви, который оказался приятен для глаз своей неназойливой кирпичной архитектурой, синими окнами, садиком с ручьем и плацом с фонтаном, окруженным ресторанами, банками и магазинами. Что-то человеческое было и в скамейках, установленных просто так, для отдыха, и не в память каких-нибудь «усопших мистера и миссис Дан Мак Доуэлл». Как приятно было посидеть на солнышке на нормальной скамейке и понаблюдать через прикрытые веки ланчующих или проходящих из кафе в банк и обратно «executives» или «административных исполнителей», специально выведенного огромного класса людей, которые от постоянного общения с компьютерами как-то и сами делались похожими на компьютер.

«Что-то с лицом у них не в порядке, — думал Пантелей. — Посмотришь человеку в глаза, а он отворачивается или выпускает заградительную улыбку. А то носят черные или зеркальные очки, чтобы скрыть наличие глаз полностью».

«У американских женщин как-то вообще лица нет, — витиевато лилась согретая весенним солнцем мысль в голове Пантелея. — Фигура есть, ноги есть, вот и у этой бабы нога в лодыжке полна и ощутима, а лица нет. Со спины посмотришь — баба как баба, в лицо взглянешь — нет лица, хоть ты лопни! Мужчина все же при помощи бороды и усов придает своему лицу видимость натуральности, а бабе ничем таким похвастать нельзя. Поэтому гомосексуалисты развелись: кому нужна женщина без лица?»

Две девушки без лиц же, но с развитыми бюстами, руками и ногами, прошли громко обсуждая только что съеденный ланч, хохоча и содрогаясь от хохота, ибо знали, что именно так следует вести себя в это время дня механизированным существам, называемым американскими девушками секретарского типа.

«Днем — компьютер, утром и вечером — автомобиль. Душа американца производна от машины, а значит и плоть тоже. Вот эта девушка с подсеченными ногами явно имеет машину тойота-королла (или же наоборот, тойота-королла владеет ею). А вот эта с выпуклой попкой явно принадлежит меркурию-седан. Вот этот янгмен с усиками определенно пользуется хищной машиной транзэм».

Неожиданно звуки марша нарушили дрему Пантелея, и он полностью открыл глаза. Два крупных отряда шотландских волынщиков выходили в это время на плац с двух противоположных сторон. Один отряд был одет в синие в черную клетку юбки, другой — в зеленые в коричневую. Оркестранты выделывали определенные антраша ногами, а впереди идущие выкидывали артикулы жезлами со штандартами. Военные барабаны по-детски громко взрывали воздух, а когда они умолкали, волынки уныло волынили свою заморскую мелодию.

Вдруг все умолкло, шотландцы образовали собою стороны строго геометрического квадрата на плацу, в пустом центре которого очутились скрытые до этого в глубине отрядов две девочки лет по двенадцати в клетчатых юбочках и чулках цвета того отряда, из которого они появились. Под новую мелодию, синкопами, они исполнили легкий танец, стоя напротив друг друга и замирая в момент, когда танцевала напарница. Получался ритм: первая (танцует) — вторая (стоит), первая (стоит) — вторая (танцует). Когда одна из них не танцевала, она как бы любовалась танцующею другою, давая знать окружающим, чтобы и они любовались. Так развлекала фирма Леви своих служащих во время перерыва на ланч.

«Сегодня шотландцы, завтра — выставка посуды, потом ярмарка автомобилей, и так каждый день. Интересно, а все чего-то не хватает, перспективы, что ли, нет», — думал Пантелей, возвращаясь в офис.

Если не было сверхурочных работ, вторая половина дня в офисе проходила быстрее. После ланча Леонард, прихватив Марка, убыл на «меетинг», а Холка не делала никаких замечаний, так как отвлеклась своей трехлетней дочкой Таубой («Голубка», плод еврейско-немецкой любви), которой дали поиграть с компьютером. «Хорошо, не с бомбой», — сказал себе Пантелей.

Вскоре гудящий, наполненный китаянками троллейбус, уносил Пантелеймона к дому.

ДОМА У ТЕЛЕВИЗОРА

Домой Пантелеймон возвратился поздно и нашел в почтовом ящике такое письмо: «Заманчивое предложение. Две амазонки появятся в вашем доме и сделают его прекрасным. Мы — две афро-американские лесбиянки и визуальные художницы. Делаем садовые, ландшафтные и малярные работы, а также многое другое. Отличная работа и умеренная плата. Звонить Кэй или Ивонне, тел...».

Бросив «заманчивое предложение» в мусор, Пантелей поставил чайник и включил телевизор, напарник своих вечеров.

«Экс-чемпиону по боксу Тайсону грозит 60 лет тюрьмы, — рассказывали по TV, — Тайсон привез к себе в отель девушку «Мисс Черная Америка» и изнасиловал ее. Сама девушка, довольная, что ее снимает камера, говорила, что ее пригласили в номер Тайсона «фотографироваться».

«Тайсон, — говорил обвинитель — это волк в овечьей шкуре, заманивший восторженную девочку-подростка, обрядившись в «тогу доброго самаритянина». Это прекрасное наивное дитя, — продолжал обвинитель, — приехало из провинции в город, где попало в руки профессионального соблазнителя».

Однако защитник боксера нарисовал иную картину. По его версии, чемпион не скрывал своих намерений. Познакомившись с девушкой на репетиции ревю «Мисс Черная Америка», он откровенно предложил ей «иметь с ней секс», после чего она с восторгом побежала в его лимузин. В номере Тайсона гостья первым делом отправилась в душ и вышла оттуда обернутая в полотенце, как опытная соблазнительница. Впрочем, ни на ней, ни в ней не нашли никаких следов насилия, что не удивительно: ведь обмер члена чемпиона членами суда присяжных показал, что размеры члена даже в состоянии эрекции куда как меньше средней нормы. На это обвинитель возразил, что зафиксированы случаи насилия именно при помощи членов скромных пропорций.

«Все ясно, — подумал Пантелей, — девка хотела переспать со знаменитым чемпионом, а потом засудить его на пару миллионов, как это теперь модно».

По другому каналу обвиняемый, сидевший на суде в прекрасном костюме и при галстуке, с откормленной шеей и изощренно изогнутым красным ртом плотоядного кровопийцы, слезливо рассказывал суду присяжных и публике, как он всегда был в поисках Бога и как он посвятит остаток жизни поискам Его же.

«Интересно, когда же именно он искал Бога, — рассуждал Пантелей, — тогда ли, когда гарротировал свои жертвы, или высасывал их мозг, или когда совокуплялся с полутрупами?»

Судья и защитник благосклонно выслушивали весь этот бред и дружелюбно кивали подсудимому.

В продолжавшемся по телевизору обзоре новостей рассказывали о новой проблеме в исследовании космоса, которую диктор называл «небесная близость» — о сексуальных отношениях между астронавтами. Специально приглашенная женщина-психиатр называла вещи своими именами, и на «е», и на «х», и на «п».

«Сексуальные отношения происходят везде, где есть мужчины и женщины, — бойко тараторила она, — в офисах, в супермаркетах и даже в Антарктиде. Физическая близость в состоянии отсутствия земного притяжения приобретает новые неожиданные оттенки. Пора, пора агентству NASA начать проводить предварительные наземные испытания, а не прятать, подобно страусу, голову в песок, когда речь заходит о сексе в космосе».

Пантелеймон выключил телевизор и лег спать.

Во сне он тотчас перенесся в Ленинград своей молодости на студенческую вечеринку, где его окружили друзья, многие из которых наяву уже умерли, где все было так болезненно-щемяще сладко, и где потом он долго-долго не мог найти ночной трамвай, чтобы то ли с Охты, то ли со Староневского ехать на Васильевский, где его ждали любимые им люди Олюшка и сыночек.

«Не так ли, резвые други бурной и вольной юности, по одиночке, один за другим, теряются по свету и оставляют, наконец, одного, старинного брата их. Скучно оставленному! И тяжело, и грустно становится сердцу, и нечем помочь ему».

Сан-Франциско

1984, 1994 годы

166

КАК Я ДОБИЛСЯ УСПЕХА В АМЕРИКЕ

Американские художники обычно ревниво хранят секрет своего успеха, если он у них есть. Я не такой и хочу поделиться тайной моего успеха с другими.

Когда двадцать лет назад я собирался в США, я был уверен, что сила моего выдающегося таланта очень быстро покорит Америку. Но первые же посещения сан-францисских художественных галерей озадачили.

— Здравствуйте, я художник из Ленинграда. Участвовал в венецианской Биеннале...

— Вы что, русский? Обратитесь в русскую церковь.

— Здравствуйте, я художник, мои работы есть в Музее Ватикана...

— Вы, наверное, русский еврей? Идите в синагогу.

— Здравствуйте, я художник, делаю религиозные сюжеты...

— ?! Разве вам не известно, что религия — это изношенная шляпа?

— Я художник, работаю кистями и красками на холсте.

— О, это давно устарело.

— Я художник.

— Нам художники не нужны.

Первое, что делает выходец из России, если его куда-нибудь не пускают, — жалуется в вышестоящие инстанции. Стал жаловаться и я, начиная от мэров и сенаторов и кончая президентами США. Все, кому я писал, очень хотели помочь, но, к сожалению, были заняты. Так, мэр Файнстайн сама в это время изготовляла piece of art, а именно сваренный из спрессованного огнестрельного оружия крест для подарка римскому папе. Сенатор Джон Сеймур пригласил меня в Вашингтон сфотографироваться с ним и подарил фото мне в назидание. Картер, Рейган, Буш и Клинтон честно признались, что они бессильны в загадочной области искусства.

Тогда я понял, что быть просто художником в США недостаточно, надо иметь социально-политическую платформу, надо принадлежать к группе.

Сначала я пытался примкнуть к русским. Они меня не приняли, потому что я еврей.

Евреи отнеслись ко мне настороженно, потому что в моих работах я часто обращался к евангельским сюжетам.

Афро-американцы меня не приняли.

Латино-американцы нашли мое творчество очень близким и чуть было не приняли.

Гомосексуалисты меня не приняли, потому что я не шел дальше их внешней театральности.

Лесбиянки и феминистки не только меня не приняли, но и обвинили в дискриминации, так как в своих иллюстрациях к «Русским заветным сказкам» я отдал предпочтение изображению мужских гениталий.

В отчаянии я бросился в кооперативную Nanny Goat HiLL Gallery в надежде обрести собратьев и единомышленников. Но и тут неудача: в отличие от того, о чем мечтали Ван Гог и я, мои новые собратья никогда не обсуждали «жгучие» и «вечные» проблемы искусства. Собираясь, они говорили о финансовых проблемах или об особенностях национальной кухни разных народов.

Как-то мне попалось на глаза высказывание одного из зачинателей поп-арта Роя Лихтенштейна о Пикассо: «Пикассо — величайшая сила XX столетия потому, что он выдающийся изобретатель». Mon Dieu! — подумал я, всю мою сознательную жизнь я полагал, что величие Пикассо в его осмысливании европейской традиции от древних греков до Тулуз-Лотрека, в его работоспособности, наконец, в таланте... Какое заблуждение! Надо срочно и мне изобрести что-нибудь. Конечно, я не смогу тратить деньги на тысячи тарелок, как Julian Shnabel, или на покупку гигантских биллиардных столов, как Sherry Levine. Нужно что-нибудь легкое и портативное.

Эврика! Не зря же я писал письма сенаторам и конгрессменам, ведь в моем архиве лежат пачки копий моих писем и ответов на них, писем, с помощью которых я пытался пробиться как художник и продвинуть мое искусство в этой стране. Почему бы мне не выставлять письма? Ведь это они, а не сотни трудоемких и никому не нужных живописных и графических работ явились моим самым большим достижением за 20 лет жизни в США!

С робостью явился я с новыми «работами» в галереи. И нелегко в это поверить, но на лицах галерейщиков стала появляться улыбка. И вот уже санфранцисская художественная комиссия принимает меня на Art Festival. И вдруг чуть ли не все сразу хотят выставлять Алека Рапопорта, и все двери широко открываются: от Библиотеки Ронни Рейгана (выставка в 1993 г.) до «Садов Ренни Притикина» (Renny Pritikin — известный в Сан-Франциско художественный директор галереи Yerba Buena Gardens), от Лоренцианской Библиотеки до Мюнхенской Пинакотеки. Римский Папа дал мне и моей семье аудиенцию.

Наконец-то у меня улучшился сон и аппетит. Наконец-то меня полюбили все, от русско-еврейских гомосексуалистов до афро-латино-американских феминисток. Чудо свершилось!

Сан-Франциско

1994 год

[Действительно, работа Алека Рапопорта «Письма на холсте» была выставлена в Сан-Франциско в 1995 году в Belcher Studios Gallery и имела большой успех. После выставки А.Р. ее сжег].

168

21

IV. РАЗМЫШЛЕНИЯ

«**В**се возвращается на круги своея» (Книга Екклесиаста 1:6). Пришло время и мне трезво взглянуть на себя в эмиграции, разобраться, что же произошло со мной? Со всеми нами? В СССР, где была естественная реакция на засилье идеологического искусства, многие из нас бросились в противоположную крайность — формотворчество. Может быть, там и тогда можно и нужно было «бить в там-тамы». Не надо быть семи пядей во лбу, чтобы увидеть, к чему привело голое формотворчество на Западе: к утере традиций и критериев, изобретательству, к бессовестному надувательству и, в результате, к разрушению искусства вообще.

Сегодня стыдно думать о коммерческом успехе — сегодня нужно думать о спасении тонущего корабля.

1980 год

■

В наши дни, когда Монна Лиза Джиоконда репродуцируется на обувных коробках, а работы Марка Шагала на простынях, следует поднять голос в защиту художника и его места в обществе.

Покупка картины для вложения денег, покупка «имен», покупка «под цвет интерьера», когда рама и бумага важнее изображения, исключает духовную сторону как для творца, так и для покупателя, что не менее опасно, чем превращение искусства в орудие тоталитарных диктатур.

Искусство с тех пор, как оно перестает быть частью религии и начинает обслуживать мир потребительства или партийных идеологий, неудержимо разрушается и свидетельствует об общем движении нищающего духом человечества к катастрофе.

1980 год

■

Через Византию, Тинторетто и Сезанна, вплоть до нас, русских художников все вышло из Средиземноморья, все было заварено в этом котле. Это здесь была колыбель, где родились наши храмы, города, наши религия и искусство. Конструкция европейского города с его освещением дала начало системам перспективных построений, в которых прежде всего воплотилась идея монотеизма, идея Бога.

1983 год

■

Судьба русского художника-нонконформиста драматична и на родине, и за ее границами. Введенные в заблуждение как «восточной», так и «западной» пропагандой, десятки художников-нонконформистов покинули в середине 70-х годов Ленинград и Москву с надеждой «реализоваться на Западе», не зная того, что изобразительный язык русского художника за рубежом нуждается в таком же переводе и толковании, как и язык русского писателя и поэта. Можно также констатировать сегодня, что борьба этих художников в СССР против засилья официальной доктрины оказывалась временами успешной и приносила весомые плоды в их искусстве в то время, как столкновение с западным коммерциализмом привело многих из этих же художников к досадному снижению качества их творчества.

1984 год

■

Парадокс: я не могу назвать себя «русский художник-эмигрант», т.к. не связан с эмигрантскими делами, кругами и галереями. Полностью разделяю судьбу американских художников, которые в своем подавляющем большинстве не имеют в начале карьеры ни покровителя, ни искусственно сделанного имени. Они начинают очень трудно: с отказов в галереях, с нищеты, с необходимости делить службу со своим призванием — быть художником. У некоторых так проходит вся жизнь.

У меня, слава Богу, сложилось иначе. Я могу позволить себе роскошь для американского художника — быть только художником. В этой связи я хочу поблагодарить Майкла Дунева — европейски образованного знатока искусства с безупречным вкусом, который решился быть представителем моего искусства в своей «Michael Dunev Gallery» в Сан-Франциско.

С другой стороны, по своей сути я остаюсь полностью русским художником, для которого главными характерными чертами считаю глубокое уважение к искусству, его традициям, духовность и нетерпимость к профанации — трюкачеству и коммерциализму, когда работы кричат: купите, купите...

1985 год

■

Процесс творчества должен быть прерываем на «седьмой день», для отдыха и восстановления творческого потенциала.

1985 год

174

■

Моя жизнь, как я ее сегодня вижу, подобна качанию маятника. В 1950-е годы я пытался вырваться из догм академизма советской художественной школы, обратившись в сторону западноевропейского искусства — от Тициана до Сезанна. За это меня прозвали «формалистом».

Затем, в 1960-е годы, я обратился к искусству русских конструктивистов, Баухаузу и «Модулору» Ле Корбюзье. Этому я обучал своих студентов и тогда меня обвинили в «идеологической диверсии».

В 1970-е годы я обогатил свое искусство, обратившись к Русско-Византийской иконе и к Библейско-Евангельским сюжетам. За это меня заклеймили «религиозно-фашистско-сионистским художником» и вынудили покинуть Россию.

Последнее качание маятника вынесло меня физически в США, где я с недоумением обнаружил в американском искусстве материализм, надуманность, утрату критериев, технологизм, изобретательство.

И вновь в поисках утраченных ценностей я вернулся в моем искусстве к колыбели человечества — Средиземноморью, где на заре веков родилось изобразительное искусство, в котором Божественный Дух и Человек как мера вещей были основой его интегральности.

1986 год

■

Живя в России, я больше концентрировался на внутреннем смысле своих работ. В Сан-Франциско мое искусство обогатилось ощущением простора, движения и освещения американского Запада.

Городская жизнь открыла мне совсем новые источники для творчества, отличающиеся от предыдущих. Это — присутствие Тихого океана; театральность и драматичность города; его уникальный интернациональный аромат; необычность обитателей города и их взаимоотношений; мистическое наследие индейского искусства.

Я безусловно полюбил три особенности города — интернациональность, географическое расположение и фантастический прозрачно-призрачный свет, идущий от океана. Этим особенностям я и посвящаю свои работы серии «Образы Сан-Франциско».

1986 год

■

Десять лет эмиграции на этом полуострове, именуемом Сан-Франциско, заставили меня многое передумать и переоценить. Эмиграция, ссылка, тюрьма даны человеку для самоусовершенствования. И сейчас я смотрю назад (не вперед ли?): Византия, Средневековье, Ренессанс. Там были мои учителя, которым, к сожалению, я иногда изменял. Теперь я снова прошу их о помощи. Я не хочу трюкачества, я хочу настоящего искусства СОВЕСТИ.

1987 год

■

«В начале было Слово» (От Иоанна 1:1). Затем появились линия и контур и только потом — цвет. Так развивалось религиозное искусство. Что касается моих работ, то их создание очень близко соответствует этому порядку.

Так же как написанное слово несет в себе определенный смысл, а, будучи окружено другими словами, приобретает содержание, так и контур — основа смысла живописи, дополненный линиями и цветом, приобретает содержание.

Так же как написанное слово отражает след мысли автора, так и нанесенный контур отражает след мысли художника.

1990 год

■

Я принадлежу к школе русских конструктивистов, восходящей к традициям византийско-русской иконы. Хотя мне очень лестно, что католические сестры (Mercy Center, Burlingame, CA) молились перед моими религиозными работами, но они (работы) не претендуют на использование в литургических целях. Это — живописные работы, интерпретирующие библейские сюжеты. Некоторые из них сопровождаются текстами — традиция, завещанная византийско-русской иконографией.

Антирелигиозность коммунистического искусства, а также коммерциализм и технологизм западного, обратили меня к забытым ценностям Византии и Возрождения, которые помогают моему искусству быть одновременно архаичным и современным. Говоря словами Giulio Carlo Argan, я хочу, чтобы мое искусство было «...не только иллюстрацией к повествованию, но и откровением религиозного начала моральных ценностей человека, побуждающим его на действия для своего дальнейшего спасения».

1991 год

■

Вынужденные нововведения, принудительное изобретательство в искусстве, вызванные желанием обратить на себя внимание, стали болезнью нашего времени, которая способствует человеческому разобщению.

176

Эта болезнь вытравила из памяти целые поколения иконописцев, которые молитвенно и наивно повторяли одну и ту же икону без размышлений, без вывертов, не заботясь ни о своем индивидуальном стиле, ни о личной славе. Они просто работали «ad majorem gloriam Dei», служа связующим звеном между людьми и между людьми и Богом.

1991 год

■

Мою религиозную живопись можно сравнить с молитвой своими собственными словами, а не по молитвеннику.

1991 год

■

Художник работает не ради искусства, но при помощи искусства для духовного усовершенствования.

1991 год

■

Потеря принципа «красота есть познание» приводит к потере цели в искусстве. Лишь в условиях гармонии между собой, обществом и его высшими идеалами (если признать существование высших идеалов вообще, то нельзя не признать их Божественного происхождения), когда искусство не абстрагировано от повседневной жизни, художник может работать полнокровно. В противном случае возникает личностный символизм, не основанный на связи вещей с общеизвестными принципами, но на частных ассоциациях идей. Когда каждый художник должен быть объясняем индивидуально, искусство перестает быть средством коммуникации. Поверхностная концепция «красоты» не позволяет говорить о «правде». Знак, некогда носивший Божественный символ, несет значение лишь самого себя.

1991 год

■

Религия конструирует каноны. Каноны с течением веков дают искусство. Без догматов-канонов мы не имели бы всей истории древнего и средневекового искусства Европы и Азии. Как скоро искусство перестает служить религии как высшему проявлению человечности, оно немедленно начинает разрушаться.

1991 год

Как теперь считают, груда мусора, извлеченная из мусорного бака и внесенная в престижную художественную галерею, превращается в произведение искусства. Однако, «грязь остается грязью» (Lord Palmerston).

Гораздо пагубнее воздействие тех кощунствующих художников, которые иллюстрируют Псалтирь отталкивающими, оскверняющими созданиями а la Маркиз де Сад, или изображают Распятие, погруженное в мочу. Эти «художники» совершают великий грех против человечества и самой основы иудео-христианской религии.

1992 год

■

До сооружения Вавилонской Башни люди разных племен говорили на одном языке. За самонадеянное стремление достичь неба, они были наказаны Богом разделением на множество разных языков, и люди перестали понимать друг друга.

То же самое происходит в современном искусстве, когда большинство художников пытается изобрести свой художественный язык, который вносит неразбериху своего запутанного индивидуалистического мира в умы зрителей.

Художественный язык, как часть общего человеческого языка, всегда был средством информации и коммуникации. Измышляя свой изобразительный язык, художник изолирует себя от общества, расщепляя единую Истину.

Продукция современных художников — это несметное количество инсталляций, компьютерных отпечатков и т. д. свидетельствует о том, что этим художникам просто нечего сказать. Они демонстрируют технику, технологию и несут свой мессаж ради и для самих себя.

1992 год

■

Принадлежность к цеху Апостола Луки, Тинторетто, Эль Греко и Руо не может не сделать меня принадлежащим, вольно или невольно, их Богу, давшему начало видимому и изображаемому. Этим я отнюдь не изменил своим братьям по крови.

1993 год

■

Я всегда был реалистом. Только к этому определению надо подходить не узко, как это обычно принято, а широко, руководствуясь исследованием Р. Гароди «Реализм без берегов». Я — реалист, потому что имею дело с реалиями в жизни и их отображаю.

1993 год

178

■

Моя работа над определенным сюжетом напоминает живущее растение. Дольше всего я разрабатываю сюжет в пределах базисного, «геометрического» стиля, это как бы корни растения. Здесь я мог бы остановиться. Однако, в случае удачи, я делаю «живописный» вариант — как бы надземную часть растения. Затем, если я чувствую высокий подъем, следует «рельефный» вариант. Выражаясь образно, это — зрелый плод, дающий семена для моих будущих работ.

1995 год

■

20 лет назад в Ленинграде я был объявлен одновременно «фашистом-сионистом» и «воинствующим христианским художником», и был вынужден покинуть СССР. Я приехал в Штаты в поисках религиозно-художественного братства, но вместо этого нашел непередаваемое равнодушие.

Я не изобретаю своего искусства. Мои религиозные верования восходят к Ветхому и Новому Завету, к ранним иудео-христианам, а истоки моего искусства лежат в росписях древних синагог и в христианской живописи старых мастеров Средиземноморья и России.

Сегодня, когда Папа Иоанн Павел II провозгласил идею создания единой христианской церкви, я бы хотел смотреть дальше. Согласно русскому религиозному философу Владимиру Соловьеву, «иудаизм завершается в христианстве так же, как христианство заключает в себе иудаизм». Я надеюсь, что мои работы могут быть скромным вкладом как в поручительство Папы, так и в осознание идеи В. Соловьева.

1996 год

■

Когда художник в неуклюжей попытке угнаться за техникой начинает работать на компьютере, а не рукой и красками, то компьютер начинает играть рискованно большую роль в процессе изображения. Уже не рука художника, не его нутро, а система электронных связей диктует метафизику изображения.

1996 год

179

Если художник Возрождения и последующей культуры распоряжался или думал, что распоряжается «миром метафизических призрачностей» (выражение Отца Павла Флоренского), то в век компьютера мир метафизических призрачностей распоряжается художником. Что или кто стоит за пустотой компьютерно-телевизионного экрана? Не антихрист ли?

1996 год

К каждой новой работе я до сих пор подхожу как начинающий, как ученик. Каждая новая картина для меня как бы эксперимент, поиск нового, обновление. Всегда держу в памяти слова П. Пикассо: «Постоянно повторяющийся художник в конечном счете становится лишь хорошим знатоком самого себя».

1996 год

Моя судьба драматична, как и судьбы многих моих товарищей-художников, творчество закодировано, идеалы высоки и недостижимы.

1996 год

Действительно, где судьи, которые могут определить, что значит «честный», «настоящий», «чистый», «хороший», «прекрасный» в сегодняшнем искусстве? Разве мы не живем во времена, когда все основы, принципы, ТЕРМИНЫ добровольно разрушены? Не слышим ли мы восторженное восхваление средствами массовой информации манипуляторов, изображающих «women-Christs», «bisexual Christs», и даже «piss-Christs» — (Распятие, погруженное в мочу)? Не живем ли мы во время, когда такие основные устойчивые понятия, как «отец», «мать», «семья» утратили их первоначальный смысл?

В 1976 году я бежал из коммунистической России в поисках «свободного искусства», чтобы по прибытии на Запад обнаружить, что так называемая «свобода» иногда оказывается отрицательной ценностью. Какие-то пределы, границы — русские философы использовали греческое слово «termon» — так же

180

необходимы в области искусства, как и во всех сферах жизни. В противном случае, всеобщий хаос — неизбежен.

1997 год

∎

Взаимодействие художника с миром всегда осуществлялось посредством физического, телесного жеста. Такие моменты, как наполнение кисти краской, движение кисти в руке, чувство прикосновения кисти к холсту — разве может испытать эти ощущения художник нашего времени, обращенный к экрану компьютера?

Я оплакиваю искусственное отстранение художника от окружающего его естественного мира.

1997 год

∎

«Я ничего не делаю от себя...» (От Иоанна 8:28).

1997 год

∎

В наше время страшного физического и нравственного загрязнения окружающей среды — каждое вновь произнесенное слово, каждое вновь созданное произведение искусства — могут стать грехом против Бога и человечества. Иногда мудрее хранить молчание.

Я бы хотел верить, что некоторые из моих работ были рождены от Слова и что, по крайней мере, некоторые из этих «слов», в свою очередь, не «упали на камень», но на «добрую землю и взошед принесли плод сторичный». (От Луки 8:8).

1997 год

А. Rapoport

V. В ПАМЯТИ ДРУЗЕЙ

■

Веками складывалась спасительная, но и тягостная отчужденность, замкнутость еврейского сознания. Именно эта отъединенность и отчаянный прорыв в запредельную высь духовных и религиозных поисков выражены в работах Алека Рапопорта. В каждой теме художник усиливает ее внутренний драматизм, всякий раз предельно обнажает конфликтность ситуации. А. Рапопорт тяготеет к монументальности, к обостренной декоративности, он смело использует различные материалы и фактуры, как это мы видим в работах «Исайя», «Менора над городом», «Три фигуры». Превосходное владение техникой позволяет художнику обращаться к очень сложным замыслам*.

***Михаил Бергман**, историк искусства*
Ленинград — Чикаго, 1976

■

Художники обращаются к библейским темам для изображения судьбы современного еврейства. Страсти пророков драматизированы суровой мощью в «Трех фигурах» Алека Рапопорта. Его диптих «Исайя» несет контраст отчаяния Божественного суда («И когда вы простираете руки ваши, Я закрываю от вас очи мои», Ис. 1:15) с радостью Божественной Благодати («Торжествуйте, небеса, ...ибо искупил Господь Иакова», Ис. 44:23). Подобно ранним русским модернистам А.Р. обращается к русским иконам и древним фрескам для экспрессивного моделирования человеческих фигур.

***Рут Ришин**, художественный критик*
Бей Эреа (Калифорния), 1976

■

Для Алека Рапопорта искусство — это нечто большее, нежели эстетическое координирование отдельных форм. Оно — средство созерцания и глубокой эмоциональной экспрессии. В мире, механическом и безликом, картины и рисунки А.Р. предстают как жесты открытого неповиновения, что не может не вызвать нашего внимания и уважения.

***Джон Боулт**, художественный критик и литературовед*
Остин (Техас) — Лос-Анжелес, 1980

––––––––––––––––––––––

* Все тексты даны в сокращении.

■

Я знаю Алека Рапопорта многие годы — упорный в своем творчестве, скромный, глубоко духовный — его рука тверда, а душа уверена. Он — истинно Русский Художник.

Константин Кузьминский, *поэт*

Ленинград — Остин (Техас) — Нью-Йорк, 1980

■

Сдержанная драматичность характеризует творческий порыв Алека Рапопорта, который уже несколько лет насыщает все более и более свою живопись духовными и экзистенциальными происшествиями фигуративного толка.

Франко Миеле, *художественный критик*

Рим, 1980

■

После того, как Алек Рапопорт прожил в США четыре года, его искусство совершило колоссальный прыжок от российско-советского мира догм и ограничений (против которого он возражал в своих библейских сюжетах и сценах из Житий Святых) — к миру свободного волеизъявления и природной спонтанности: серии «Улицы Сан-Франциско», «Сцены парада гомосексуалистов» и т.д. Следует отметить, что сохраняя все свои прежние артистические качества, он использует сюжеты и формы обоих миров — русского и американского, внутреннего и внешнего.

Пол Куин, *художник*

Сан-Франциско, 1981

■

Твои работы скупы и религиозны в неортодоксальном смысле, наполнены философской метафорой, которую необходимо раскрывать зрителю... Требуется время, Провидение и упорное стремление не сломаться перед дурацким миром. Увы, обычно имя мы получаем после смерти.

Михаил Кулаков, *художник*

Москва — Ленинград — Рим, 1981

186

■

В 1974—1977 годах Алек Рапопорт был одной из самых отважных фигур в советском нонконформистском художественном движении. Он участвовал как в официально разрешенных, так и в официально запрещенных выставках русских и русско-еврейских художников тех лет. Как личность, независимо от его глубоких знаний и художественного таланта, Алек Рапопорт был очень скромным и глубоко человечным. Его последние работы отражают и глубокие корни русского религиозного искусства (идущие от икон), и печальное, типично еврейское восприятие вещей. Его острый глаз также помогает ему проникнуть в жизнь американских улиц. Короче, я горжусь иметь такого друга.

Константин Кузьминский, *поэт*
Ленинград — Остин (Техас) — Нью-Йорк, 1982

■

Образы с Вашей последней выставки стоят в моем воображении. Я хотел бы укрепить Ваше мужество, чтобы Вы не прекращали делать то, что Вы делаете в живописи и графике. Это — прекрасные работы. Я знаю, что нелегко Вам, пришельцу, попасть в это странное и подчас враждебное место и продолжать работать в чуждых здесь традициях. И я благодарю Вас за то, что Вы продолжаете.

Пол Куин, *художник*
Сан-Франциско, 1982

■

Как я понимаю, Вы — человек большого мужества. Вам и членам Вашей семьи нужно было обладать большой силой для свершения перемен, которые Вы сделали. Но, пройдя через эти испытания, Вы нашли в них самих источник огромной силы, обладающей особой неповторимостью. Разве не является это частью «быть художником» — быть человеком с неповторимым взглядом на мир, с мужеством личной реальности, которая выражает и проявляет себя в объективном мире? Вы — носитель цивилизации, Вы должны давать, потому что у Вас есть что дать. И это вернется с лихвой. Мы верим, что радость — в отдаче, урожай — что-то другое. Правда, Вы получили уже часть своего урожая в виде четырех офортов, принятых в Ватикан. Вы достигли бессмертия; тому, что создано

Вами, гарантирована долгая жизнь в архивах одной из самых надежных твердынь (пока еще), созданных когда-либо. Признание, понимание, неудачное переселение, приспособление... всего лишь тусклый свет по сравнению с великолепным блеском этого свершения. Я счастлив за Вас.

Роберт Рейнолдс, *литературовед*

Сан-Франциско, 1982

■

...он отдает всего себя искусству, богатому и наполненному жизнью, которое, в свою очередь, порождает во мне и в моей работе ответное богатство. Он принес с собой иноземную традицию и сумел сохранить ее целой и невредимой здесь. Его выставки в Сан-Франциско и Бей Эреа, в Денвере и Нью-Йорке свидетельствуют о широте его таланта. Алек делает свое искусство двояким способом. Будучи глубоко интеллигентен, он не только извлекает мысль, приходит ли она из его работ или из работ других, но и строит на этой мысли новое понимание, связи, просветительство. Он также человек с сильно развитым общественным чувством, чувством аудитории. И сильный шок, происходящий от перемены культурной среды, сам по себе является движущей творческой силой. Алек — мой друг. И когда мы встречаемся, я восхищаюсь его работами и не меньше беседой с ним. Это — драгоценный камень, который еще не обрел своей оправы, но который может обогатить всех нас.

Пол Куин, *художник*

Сан-Франциско, 1983

■

Когда я впервые увидел работы Рапопорта, я был поражен громаднейшим размахом его зрительного воображения. Несмотря на очевидное техническое мастерство и почти не требующий усилия контроль над средствами выражения, работы Рапопорта превосходят границы простого объяснения. Его работы свидетельствуют о неувядающей целостности и борьбе перемещенных людей в побуждении превозмочь трудности. А.Р. — человек и художник, который черпает силу из своих убеждений. He is an artist's artist.

Майкл Дунев, *владелец галерей*

Сан-Франциско — Гирона (Испания), 1985

■

«Плач у стен храма» — очень крепкая, на редкость сильная вещь. Такое двухголосие человека и архитектуры редко кому удается, да мало кто и решается попробовать. Но европейский галерейщик, к несчастью, прав: для американцев это и вправду heavy metal. Хотя в самой вещи никакой тяжести и усложненности нет, наоборот, полнейшая ясность, прямо сезанновская (но с каким внутренним напором). А все же — катастрофическое несовпадение ментальностей, что ли. Теперь модно кивать на ментальность, но тут она и вправду замешана. Для американцев, с их культом бездумности и беспечности, keeping smile (Томас Манн отлично назвал это «варварской инфантильностью») — к чему этот плач и этот храм, что им вообще Гекуба?

Елена Кожина, *искусствовед*
Ленинград — Нью-Йорк, 1986

■

Одну работу я полюбил больше других. Это «Дневное странствие». Мне все кажется, что я видел ее раньше, но не в таком величии и сиянии... Она как будто входит в серию живописных работ, изображающих Христа. Но запечатленный образ не находится вне земного мира, наоборот, он в центре жизни. Он видится мне счастливым по-своему и печальным печалью влюбленных. Это глубоко потрясло меня.

Пол Куин, *художник*
Сан-Франциско, 1987

■

«Св. Николай» поражает рублевской гармонией композиции и содружеством, праздничностью соседства белого и красного, банального в быту и прекрасного в иконах. Гармония цвета и композиции создает пространство — высь и заключенность в своды (согбенные фигуры): духовную высоту и смирение — два столпа религии. Вы вывели икону из канонической скованности в страну радости свободного духа и умиления. Ваша церковь клубится как облако, помните, «...воздушная громада, как облако, встает передо мной»?

Татьяна Баева, *писатель*
Москва — Сан-Франциско — Нью-Джерси, 1992

■

Алек Рапопорт. Заросший смоляной бородой, ироничный и негромкий. А еще — убийственно вежливый, интеллигентски несгибаемый. Рапопорт, не изменивший ни одному из принципов, выработанных в суровом ленинградском общественном климате.

Его темы неисчерпаемы, библейские и городские мотивы. Все новые и новые живописные рассуждения, связанные с осмыслением и развитием в искусстве иудео-христианской традиции. Все новые сцены жизни мексиканских кварталов, перенасыщенной первородной биологической энергией.

И хотя «экуменическая» серия Рапопорта куда более уместна в заснеженной России, нежели в очаровательном городе, разбежавшемся по холмам декорацией к испанской опере, нельзя не увидеть странной мощи этой живописи, мрачноватой ее накаленности, напоминающей о неостывших угольях старорусских икон; нельзя отвести глаз от смутных персонажей древнейшей человеческой повести, уже утративших горячую, осязаемую плоть, но еще не источившихся, не истаявших, не налившихся потусторонним светом религиозной символики. При этом какая-то космическая воля, воплощенная в пульсации цвета, в силовых линиях колорита, сносит в сторону, сметает эти фигуры, вызывая в них ответное напряжение.

Благодаря тому композиция любого из библейских полотен Рапопорта («Неверие Фомы», «Троица в темных тонах» и т.д.) приобретает признаки неустойчивого равновесия и некоей надмирности, где царят иные законы, нежели в том плоском приземном слое, где мы, судорожно закинув головы, пытаемся что-то разглядеть там, наверху; стараемся нечто понять, почувствовать, узнать о самих себе.

И это один полюс бытия. Другой же отражен в серии городских работ Рапопорта, где — что в «Адаме и Еве», что в «Латинос с улицы Миссия» или «Женщины в красном» — стерта грань между средой и погруженными в нее людьми, чьи тела укоренены в почве тротуаров, стен, решеток, пожарных кранов, витрин. И все это вместе охвачено корчами тектонического взрыва, словно на заре формирования тверди. Людей прижимает к земле, выворачивает с корнями, увлекает в перспективу улиц все та же космогоническая сила, что и в священных живописаниях Рапопорта. Однако здесь, в бульоне, где зарождается живая материя, сила эта проявлена конкретно — бесстыдно и чувственно.

Таков нынешний Рапопорт, пророк с улицы Миссия, имеющий право спокойно и открыто смотреть в глаза детям, женщинам и своим святым.

Валерий Барановский

Нью-Йорк, 1995

■

Суровые ангелы, исступленные пророки, лики святых, излучающие совершенно осязаемое, почти непрозрачное напряжение, автопортрет в виде маски кричащего Мардохея, смерч, сворачивающий пространство. И единственный на всю выставку — выбивающийся цветовой просвет — пейзаж: дрожащий, двоящийся мираж... «Искушение» — так Алек назвал эту работу. (Почему-то, глядя на нее, я вспомнил Юрия Трифонова: «Устали? Ничего, отдохнете в другом месте»).

Сетуя на денежную публику, отдающую предпочтение гладенькому «искусству», я понимаю и то, что не всякую работу Алека Рапопорта легко повесить дома. Я представляю многие из них в специальных залах, куда вы могли бы войти, словно открыть книгу.

Есть такое искусство, которое немыслимо большими дозами. Скажем, фильмы Андрея Тарковского или Роберта Брессона вряд ли можно смотреть каждый день. Сомнительно, что ежевечерне кто-нибудь открывает на любимом месте платоновский «Котлован».

Но увидеть хоть раз в жизни «Ностальгию», увидеть «Мушетту» Брессона, прочесть «Котлован» — вероятно, хорошо было бы каждому.

Михаил Лемхин, журналист, фотограф

Ленинград — Сан-Франциско, 1996

■

Встретив Алека Рапопорта около 20 лет тому назад, я был поражен его внутренней силой, одержимостью и значительностью. Хотя его искусство шло вразрез с эстетическим и философским направлением моей галереи, я был горд возможностью представлять общественности Сан-Франциско и района Залива его работы, свидетельствующие о победе художника над всеми жизненными испытаниями, которые пришлось ему пройти.

... прожив и проработав в Америке около 20 лет, Алек Рапопорт остался чужеродным общему направлению современного искусства Сан-Франциско. Это можно объяснить, главным образом, его нежеланием идти на компромиссы и приспосабливать чистоту своего видения изменчивым капризам моды художественного рынка, а также неприятием политической позиции, которая удовлетворяла бы искусствоведов и критиков, придерживающихся уже принятых тенденций. Человек удивительной стойкости, чьи убеждения не ослабевали, а укреплялись при столкновении с сопротивлением, Алек Рапопорт создал экстраординарные работы, тихо оставаясь верным своим идеям и уверенным в правильности избранного пути. Полотна Рапопорта характеризуются напряженной перспективой, головокружительным чувством движения, цветовой и фактурной насыщенностью, что составляет их неповторимое, уникальное своеобразие. Будучи и современным, и архаичным, его искусство — результат профессионального театрально-художественного образования и длительного, нескончаемого интереса к изучению западного искусства.

Работы Алека Рапопорта тематически делятся на две серии — религиозные и сцены городской жизни Сан-Франциско. Они приоткрывают очень личный мир художника, который основан на глубокой вере, что искусство должно служить высокой цели. Вдохновленная иконами Андрея Рублева, полотнами Джотто и Тициана, религиозная живопись Алека перекликается с глубокой духовностью мастеров эпохи Возрождения. Несмотря на почти классический стиль и сюжеты, эти работы оказывают такое острое воздействие, что зритель не может сопротивляться их силе. Они возникают из страстной веры Алека Рапопорта, что человек есть мерило всех вещей, и убеждают, что Святой Дух являлся ведущей силой созданий художника.

Образы, сцены и пейзажи Сан-Франциско — результат наблюдений Алека, который написал их, будучи сам независим от городской суеты и толпы, в которой жил. Эти работы, населенные обитателями, чуждыми друг другу, странными и безвестными, отражают этническое многообразие города. Они выполнены с ясным видением и чувством цели, что является необычным для современного искусства Сан-Франциско и района Залива. Художник, со свойственным ему глубоким проникновением, ведет хронику городской   жизни, разглядывая ее, как ученый-энтомолог изучает жизнь муравейника.

Для меня навсегда останется честью и удовольствием знать Алека Рапопорта и представлять его искусство в моей галерее. Упорный человек и художник, одержимый верностью своему мировоззрению и творческому пути, он создал наиболее оригинальные, волнующие и вдохновенные образы, которые я когда-либо видел.

Майкл Дунев, *владелец галерей*

Сан-Франциско — Гирона (Испания), 1997

■

Алек Рапопорт — тихий гений взволнованного мира. 4 февраля 1997 года в серой мути короткого питерского дня, под роскошными калифорнийскими небесами и в вышних прошелестело: «умер Алек Рапопорт». После минутного молчания речь о нем возвращается сдавленным косноязычием. Умер большой и настоящий художник, умер достойной смертью мастера — за работой, лишь начав «Троицу».

Кто он, этот закрытый и беспощадный к себе художник, с тихой яростью отстаивающий Совесть и Веру? И теперь мы будем смотреть в его картины, ища ответа на незаданные при жизни мудреца вопросы...

Александр Левинтов, *писатель*

Москва — Марина (Калифорния), 1997

■

Вдохновленные фресками Джотто и посвященностью художника христианской церкви, религиозные работы А.Р. объединяют Иудаизм с Новым Заветом христиан, а также перекликаются с глубокой духовностью мастеров Возрождения. Они вытекают из глубокого источника страстной убежденности, что человек — мера всех вещей и что Святой Дух — путеводная нить всех творческих усилий.

Майкл Дунев, *владелец галерей*
Сан-Франциско — Гирона (Испания), 1998

■

Александр Владимирович Рапопорт был художником трагической музы. Для него художественный процесс был постоянной попыткой согласовать осязаемую форму (картина) с неосязаемым восприятием.

Действительно, он отдал всю свою энергию этому поиску, особенно в последние годы, а смерть, заставшая его за работой в своей мастерской, — симптоматична его полному посвящению в творческий процесс.

Джон Боулт, *художественный критик и литературовед*
Остин (Техас) — Лос-Анжелес, 1998

■

А. Рапопорт был художником и философом. Невозможно полностью оценить сложность и богатство его мысли, не читая статей и размышлений. Совместно с живописью они являются могучим ключом к открытию человека, сердце и интеллект которого находились в постоянном развитии. Человека, путь которого был отмечен разочарованием, преследованием, отвержением, а также гневом по поводу состояния искусства в современном мире. Мастера, который сумел охватить огромную историческую и духовную панораму наших культурных корней и в процессе этого обрел ту особую, неуловимую ясность духа, которая может быть достигнута лишь в результате глубочайшего самопознания.

Михаил Меззатеста, *художественный критик*
Дюрхем (Северная Каролина), 1998

193

◼

Он — наш современник, он с нами, да. Но он и античен, как трагическая маска («Автопортрет с маской Мардохея»), он — сверстник, собеседник и современник Рембрандта («Автопортрет»), Шагала («Вечеря»), Гойи («Талму-дисты»), Андрея Рублева («Образ», «Из жития св. Николая»), его картинами можно иллюстрировать Рабле и Экклезиаста. Он — из колыбели и у гроба евро-еврейской культуры, на прекрасных и наивных окраинах которой — Россия и Америка, равнинный Питер и холмистый Сан-Франциско. Он еще и там, где нас еще нет и где, другие, неведомые нам генерации, будут с удивлением говорить «он наш».

... Что ж, мы так и не успели узнать от него секреты потаенной мудрости чистой совести и веры. А теперь будем в картинах искать ответы на не заданные при жизни мудреца вопросы.

Александр Левинтов, *писатель*

Москва — Марина (Калифорния), 1997

◼

Живопись А. Рапопорта демонстрирует не только значительное академическое мастерство, но и обретенные с годами самоотверженного труда зрелость и ясность видения. Искусство было страстью Рапопорта, живопись — его трансцендентальным опытом. Художник, верил Рапопорт, помогает людям прикоснуться к высокой духовности. Средиземноморье и Византия — иудео-христианская культура — были основой и живительным источником творчества Алека Рапопорта.

Майкл Дунев, *владелец галерей*

Сан-Франциско — Гирона (Испания), 1999

◼

Каталог, при всей объяснимой «временной» урезанности — строг, скорбен, могуч и впечатляющ. Картины — РАЗГЛЯДЫВАЛ. И каждая вторая достойна быть в музее. А каждая четвертая — шедевр. Я просто, при всей любви, не ожидал от Алека такой мощи. Он художник поздний (в отличие, скажем, от Ареха). Все эти годы — 60-е—80-е — ушли у него на созревание. Но он — созрел. Его иудео-христианский сплав — могуч и чист. Не картины — живописные барельефы, высеченные и раскрашенные в скале! Отцу Флоренскому — просто памятник.

И сан-францисский цикл — могуч в своей пространственной перекрученности, в характерности — в лучших традициях сценичности Акимова и барачности Ареха сотоварищи...

Словом, одна из немногих радостей от тех, с кем начинал, с кем дрался, дружил, любил, целовался... Алек — это радость.

Константин Кузьминский, *поэт*

Ленинград — Остин (Техас) — Нью-Йорк, 1999

■

Хочется найти одно слово, которое отражало бы все ипостаси творчества Алека Рапопорта. И кажется, таким словом может быть слово «крик». Его живопись — это крик-обращение, крик-отчаяние, крик-боль, крик-предостережение, крик-радость, крик-вера. И как бы не назвать этот крик — это крик души художника.

Виктор Левенгарц

Петербург, 1999

■

Традиция — основа творчества Рапопорта. Связанный с двумя глубоко традиционными культурами — еврейской и русской, иудейской и христианской, Рапопорт «объединял» их в своей работе (слово «объединял» здесь неточно из-за своей поверхностности). Обе им ценимы, и трудно сказать о предпочтении какой-то одной из них. Именно возможность их сочетания, взаимного надстраивания влекла его. Размышляя, он жил их образами, их священными текстами. Тексты Писания часто включаются им в картины, цитируются в статьях.

Само искусство Рапопорта в этом смысле вполне «традиционно». Но традиционно по-особому: традиция понимается им как необходимая основа бытия искусства, утратив которую искусство может перестать быть собой, перестать быть подлинным искусством. Между традицией и новаторством он делает выбор в пользу первой, однако его картины совершенно «не следуют традиции», а живут в ней и «творят ее» своим существованием. «Неверие Фомы» вызывает в памяти и цвета Руо, и знаменитую позу эрмитажного «Блудного сына». «Троица в темных тонах» напоминает новгородскую «Троицу» Феофана Грека. Но все это — не «дань традиции», не ссылка на авторитеты и не «невозможность мыслить иначе». Это самостоятельное обдумывание тем, предложенных великими мастерами. Размышления, воплощенные в краски и ставшие в один ряд с открытиями предшественников. И уже поэтому они достойны специального зрительского внимания. И круг не замкнут.

Дмитрий Озерков, *искусствовед*

Петербург, 1999

∎

В отличие от других произведений современного искусства работы Алека Рапопорта не позволяют откликнуться на поверхностном уровне. С уверенностью можно сказать, что они сильные и самобытные. Но более важно для меня, что они были рождены из редкой комбинации Страсти, Интеллекта и Веры.

Грегори Васковски, *художественный критик*

Каламазу (Мичиган), 2001

∎

Алек Рапопорт обладал гениальным воображением и был обуреваем неистовыми метафизическими мыслями. Дорого бы я дал, чтобы уметь понять и объяснить такого живописца, и еще больше — за то, чтобы содействовать расширению его заслуженной славы.

Самуил Лурье, *писатель и критик*

Петербург, 2001

∎

Взлетел и воспарил он на выставке ДК Газа. Далее доходило «устное» — об участии во всех нонконформистских выставках, об открытом выступлении в качестве «еврейского художника» в Совке (где это было не выгодно и «не одобрялось»), о заявлении себя «византийского толка христианином» в еврейской Америке (что некошерно по тутошним меркам)... Долго не общались. Пока собирался — прах тихого бунтовщика, художника Алека Рапопорта, развеян над Тихим. Но осталось нечто «не материальное», религиозное, истинное. Осталось то, что он бы хотел, чтобы осталось — ПАМЯТЬ, КАРТИНЫ, ЛЮБОВЬ.

Константин Кузьминский, *поэт*

Ленинград — Остин (Техас) — Нью-Йорк, 2002

Посвящается Алеку Рапопорту

ВОСКРЕШЕНИЕ ЛАЗАРЯ

— Иосиф!

— Здесь я, Господи!

— Ты уж чаю напился? Что ж ты, никак вчера опять усугубил?

— Слаб, грешен, Господи, не удержался маленько.

— Ты хоть видел себя в зеркале? Краше в гроб кладут.

— И мне туда пора.

— Хоть бы побрился по этому случаю.

— В морге добреют, им за это платят.

— Ну, пора.

— Пора, Господи.

И он отдернул ветошную занавеску с картины. Эта старомодная манера прикрывать картину тряпкой немного смешила и удивляла окружающих и заезжих, но вслух мастеру об этом никто не говорил, а он действовал, как его учили в Петербургской академии художеств те, кто и сам учился у знаменитых мастеров, бравших в Италии блестящие призы на биеннале.

— Сегодня закончишь?

Он не ответил, тщательно разминая кисти и выбирая из них ту, которой работать. Картина была готова. Только он знал, где и чего тут было некстати или не хватало или лежало не так. Эта, последняя работа над картиной — самая мучительная, словно ловля блох в стоге сена. И непонятная. Потому что и самый придирчивый, но посторонний взгляд не улавливал этих блох, а ему казалось, при обнаружении, что картина не удалась, что надо все переписывать заново и тут уж ничего не исправишь. Эта последняя работа над картиной шла на скрипучих и визжащих тормозах третью неделю и измотала его донельзя.

Он нашел искомое и стал продираться по давно уже застывшему слою почти сухой кистью, вмазывая более четко блик на стволе смоковницы.

Картина называлась «Воскрешение Лазаря». Он начал ее в такую же слякотную и мерзостную непогоду год тому назад. Он очень тосковал по будущей весне, которая могла быть для него и не предстоящей: он знал, что долго не протянет и потому взялся за этот тревожно радостный весенний сюжет. Почему-то ему вспоминались при пустом еще загрунтованном холсте далекие детские весенние ручейки и громадные лужи родного Ленинграда, черный ажур подгоревших на солнце сугробов, первые шустрые жучки на солнцепеке и девочка Люся на бойком велосипедике гонявшая по шипящим лужам так, что мелькали на разворотах ее большие черные, в сеточке дырок, трусы. И он, только что выписанный из больницы, но не в морг, а сюда, в распускающуюся весну, думал тогда, глядя на соседскую Люську, что всего двумя годами была его старше: как хорошо, что он опять не умер и может жить и видеть все это, а ведь мог же и умереть и так и не узнать, что такое настоящая весна и это странное щемящее чувство к Люське, наверное, любовь.

От той стартовой тоски по весне и родился фон картины — бледно-голубой, как доверчивый взгляд блокадной сироты.

Лазарь, лежащий на носилках под белым покрывалом, совсем мертв. Синюшное, продрогшее от смерти лицо пусто и неподвижно, а во всем тщедушном теле разлита трупная тяжесть и безжизненная двумерная плоскость. Но левая рука его приподнята. На блеклом плече — стылость, однако чуть дальше начинает брезжить возрождение жизни. Волна побежалости цветов жизни струится по предплечью, чуть согнутому локтевому суставу и вот, сквозь и поверх холста выдвигается из плоскости картины объемная, скульптурная, выпуклая и полная жизни кисть, с бьющимися жилками и подрагиваниями живой расслабленности. На самом краю картины, как бы поддерживая сверху эту трепетно оживающую руку — продолговатое золотисто-голубое свечение, в котором угадывается аура животворного перста Иисуса, но сам Спаситель — за рамой картины, Его нет. Он присутствует лишь Своим чудом и этим крохотным светящимся пятном. Но это присутствие — самое важное и первое из угадываемых и ощущаемых явлений картины.

На заднем плане видна бесплодная и унылая палестинская пустыня, посредине которой стоит изломанная смоковница. По пустыне пробегает еле заметная тень, волна тени: правая сторона пустыни еще мертва и сумрачна, а слева, от того края, где вне холста стоит Иисус, движется судорога света и оживления, и этот беглый поток первым своим бликом уже достиг смоковницы и на мельчайший миг коснулся и упал на корявый ствол.

— Ума не приложу, что мне с тобой делать.

— На Тебя уповаю. Что скажешь, то и будет. Все приму с благодарностью.

— Я ведь вам, иудеям, запретил живое изображать.

— Какой из меня иудей? А Спасителя, как видишь, я не осмелился.

— И на том спасибо.

— Скажи мне, как Тебя на всех нас хватает? Вот Ты такой космический и заоблачный, а сейчас вот со мной, в моем ничтожестве пребываешь. И с Авраамом по поводу Содома препинался и торговался. Ходишь меж людей. На что мы Тебе?

— Понимаю. Это, конечно, твоя проблема: ты привык иметь меру и масштаб. Мне ж все это ни к чему. Что с тобой, что с космосом, что сегодня, что миллиарды лет. Не суть это.

— А в чем суть?

— Ну, ты прям, как Пилат. Я ж тогда ему ответил.

— Ты запамятовал. Ты не ему — Малому Синедриону ответил.

— Какая разница? Но ведь ответил!

— Да, прости, Господи, это я запамятовал.

— Скоро ли?

— Погоди, вот здесь еще.

— Ну не буду стоять у тебя над душой.

— Да ничего. Ты мне не мешаешь. С Тобой хорошо.

И он углубился в рассматривание и вглядывание в тени над веками Лазаря, потом выбрал тончайшую кисть и, даже не краской, а просто водою, набросал по этим теням легкую дрожь: они вот-вот откроются, и Лазарь вновь увидит свет и Учителя. Душа его, только начинающая удаляться из тела, вновь впорхнет в эту расслабленную немощь и укрепит ее и восстановит среди живых, а теперь вот трепещет над входом в погасшую плоть в тревожном ожидании чуда своего воскрешения.

— Господи, прими душу раба твоего Иосифа!

— Закончил «Лазаря»? Ну что ж, с Богом. Прииди.

По завещанию покойного картина предназначалась в дар православной церкви. Вдова написала о том митрополиту с приглашением посетить студию. Из канцелярии был получен ответ, что картину принять не могут, потому как не по канону. На словах же ей донесли, что митрополит евреев не любит и принять дар от потомка жидов, распявших Христа, не желает.

Некоторое время огромный, во всю стену холст простоял в сан-францисской мастерской, но после того, как был выпущен каталог и особенно после турне по выставочным залам, спрос был очень оживлен.

«Несть более ни еллина, ни иудея», — сказал очень богатый нефтяной малаец и купил «Лазаря» по самой высокой цене, специально для него отстроил церковь в ставшем ему родным Эдмонтоне и ко всем прочим своим бизнесам присоединил еще и этот, дающий не баснословный, но устойчивый и Богоприятный доход.

Александр Левинтов
Москва — Марина (Калифорния), 2002

24

VI. ИЛЛЮСТРАЦИИ

1.

ТИР, 1967
Темпера на оргалите
50х66 см
Гос. Третьяковская галерея, Москва

2.

ПАДЕНИЕ ИЕРИХОНА (КНИГА ИИСУСА НАВИНА 6:19), 1970
Масло на картоне
51x68,5 см
Музей Дж. В. Зиммерли, Университет Ратгерс, Нью-Брунсвик, Нью-Джерси, США

3.

ВЕЧЕРЯ, 1975
Темпера и масло на мешковине
134x134 см
Музей Дж. В. Зиммерли, Университет Ратгерс, Нью-Брунсвик, Нью-Джерси, США

206

4.

СНЯТИЕ С КРЕСТА В САН-ФРАНЦИСКО, 1982
Смешанная техника на холсте
132х132 см
Частная коллекция, США

5.

ТРИ ЧЕЛОВЕКА НА УЛИЦЕ МАРКЕТ, 1986
Темпера и масло на оргалите
122x122 см
Университет Пенсильвании, Филадельфия, США

6.

АВТОПОРТРЕТ В ВИДЕ МАСКИ МАРДОХЕЯ (КНИГА ЭСФИРЬ 4:1), 1989
Рельеф, темпера и масло на картоне
147,5х194,5х30,5 см
Музей искусств, Университет Дюк, Дюрхем, Северная Каролина, США

7.

АВТОПОРТРЕТ, 1990
Смешанная техника на холсте
122х61 см
Коллекция семьи художника, Сан-Франциско, США

214

8.

ПЛАЧ, И СТОН, И ГОРЕ (ИЕЗЕКИИЛЬ 2:10), 1990
Рельеф, темпера и масло на холсте
167,6x178 см (на трех панелях)
Музей искусств, Университет Дюк, Дюрхем, Северная Каролина, США

216

9.

ИЗ ЖИТИЯ СВЯТОГО НИКОЛАЯ, 1991
Смешанная техника на оргалите
154x122,5 см
Частная коллекция, США

10.

ТРИ ДЕЯНИЯ МОИСЕЯ (ИСХОД 32:19; 20; 27), 1992
Смешанная техника на холсте
259x214 см (на трех панелях)
Музей им. И. Магнеса, Беркли, Калифорния, США

11.

НЕВЕРИЕ ФОМЫ (ОТ ИОАННА 20:24-29), 1993
Смешанная техника на холсте
152,4x137 см
Частная коллекция, США

12.

АДАМ И ЕВА (ЮЖНАЯ ЧАСТЬ УЛИЦЫ МАРКЕТ), 1994
Смешанная техника на льне
122х137 см
Частная коллекция, США

13.

СЕМЬЯ НА УЛИЦЕ МИССИИ, 1994
Смешанная техника на мешковине
127x155 см
Частная коллекция, США

14.

ЛАТИНОС НА УЛИЦЕ МИССИИ, 1994
Смешанная техника на фанере
122x152,5 см
Музей современного искусства, Москва

15.

ТРИ МУЖА В ДУБРАВЕ МАМРЕ (БЫТИЕ 18:1-15), 1995
Смешанная техника на холсте
182,8x137,2 см
Гос. Эрмитаж, Петербург

16.

АНАСТАСИС 1, 1996
Смешанная техника на мешковине
182,8х122 см
Частная коллекция, США

232

СПИСОК ИЛЛЮСТРАЦИЙ

ЧЕРНО-БЕЛЫЕ

ЦВЕТНЫЕ

1. **Тир, 1967**
   Темпера на оргалите
   50х66 см
   Гос. Третьяковская галерея, Москва

2. **Падение Иерихона**
   (Книга Иисуса Навина 6:19), 1970
   Масло на картоне
   51х68,5 см
   Музей Дж. В. Зиммерли, Университет
   Ратгерс, Нью-Брунсвик, Нью-Джерси, США

3. **Вечеря, 1975**
   Темпера и масло на мешковине
   134х134 см
   Музей Дж. В. Зиммерли,
   Университет Ратгерс, Нью-Брунсвик,
   Нью-Джерси, США

4. **Снятие с креста в Сан-Франциско, 1982**
   Смешанная техника на холсте
   132х132 см
   Частная коллекция, США

5. **Три человека на улице Маркет, 1986**
   Темпера и масло на оргалите
   122х122 см
   Университет Пенсильвании,
   Филадельфия, США

6. **Автопортрет в виде маски Мардохея**
   (Книга Эсфирь 4:1), 1989
   Рельеф, темпера и масло на картоне
   147,5х194,5х30,5 см
   Музей искусств, Университет Дюк,
   Дюрхем, Северная Каролина, США

7. **Автопортрет, 1990**
   Смешанная техника на холсте
   122х61 см
   Коллекция семьи художника,
   Сан-Франциско, США

8. **Плач, и стон, и горе**
   (Иезекииль 2:10), 1990
   Рельеф, темпера и масло на холсте
   167,6х178 см (на трех панелях)

   Музей искусств, Университет Дюк,
   Дюрхем, Северная Каролина, США

9. **Из жития святого Николая, 1991**
   Смешанная техника на оргалите
   154х122,5 см
   Частная коллекция, США

10. **Три деяния Моисея**
    (Исход 32:19; 20; 27), 1992
    Смешанная техника на холсте
    259х214 см (на трех панелях)
    Музей им. И. Магнеса, Беркли,
    Калифорния, США

11. **Неверие Фомы**
    (от Иоанна 20:24-29), 1993
    Смешанная техника на холсте
    152,4х137 см
    Частная коллекция, США

12. **Адам и Ева**
    (южная часть улицы Маркет), 1994
    Смешанная техника на льне
    122х137 см
    Частная коллекция, США

13. **Семья на улице Миссии, 1994**
    Смешанная техника на мешковине
    127х155 см
    Частная коллекция, США

14. **Латинос на улице Миссии, 1994**
    Смешанная техника на фанере
    122х152,5 см
    Музей современного искусства, Москва

15. **Три мужа в дубраве Мамре**
    (Бытие 18:1-15), 1995
    Смешанная техника на холсте
    182,8х137,2 см
    Гос. Эрмитаж, Петербург

16. **Анастасис 1, 1996**
    Смешанная техника на мешковине
    182,8х122 см
    Частная коллекция, США

Алек Рапопорт

НОНКОНФОРМИЗМ ОСТАЕТСЯ

Редактирование *Игорь Адамацкий*
Набор *Светлана Павлова*
Верстка *Надежда Великанова*
Корректура *Вера Дроздова, Елена Русанова*

ISBN 5-93630-215-6

Подписано в печать 30.10.02. Формат 70×100$^1/_{16}$.
Печать офсетная. Гарнитура «Arial Суг». Объем 15 п. л.
Тираж 1000 экз. Заказ № 1894.

ООО Издательство ДЕАН. ЛП № 000106 от 17.03.99.
191040, Санкт-Петербург, ул. Пушкинская, 10.
Тел.: (812) 112-27-40. Тел./факс: (812) 164-52-85.
E-mail: dean@peterlink.ru.

Отпечатано с готовых диапозитивов в ФГУП «Печатный двор»
Министерства РФ по делам печати, телерадиовещания
и средств массовых коммуникаций.
197110, Санкт-Петербург, Чкаловский пр., 15.